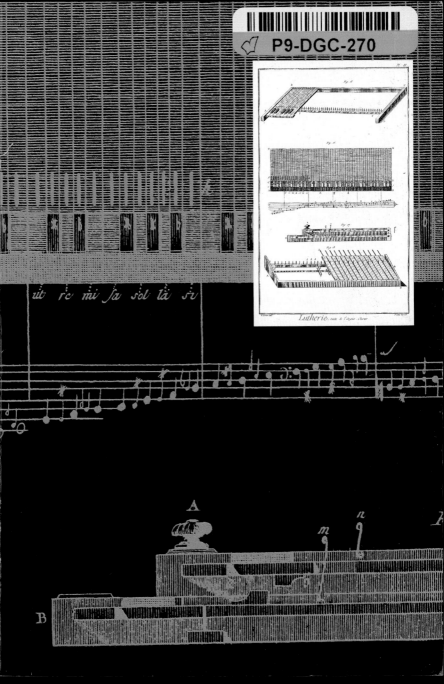

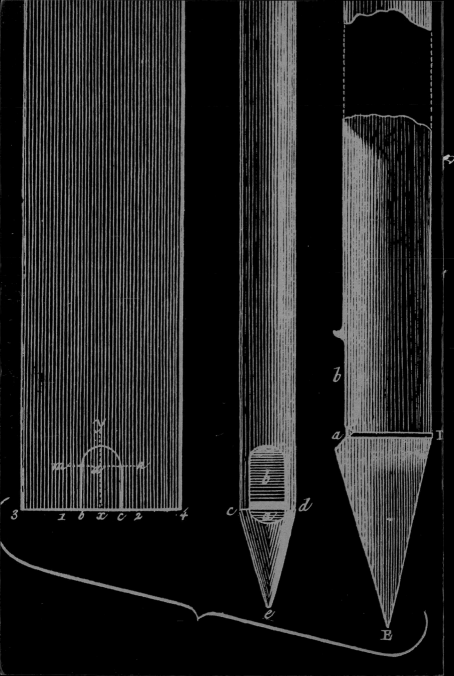

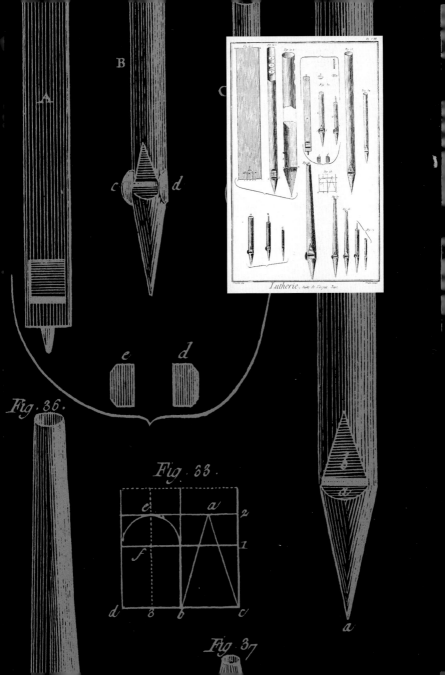

Fig. 36.

Fig. 53.

Fig. 37.

Lutherie, Suite de l'Orgue, Tome

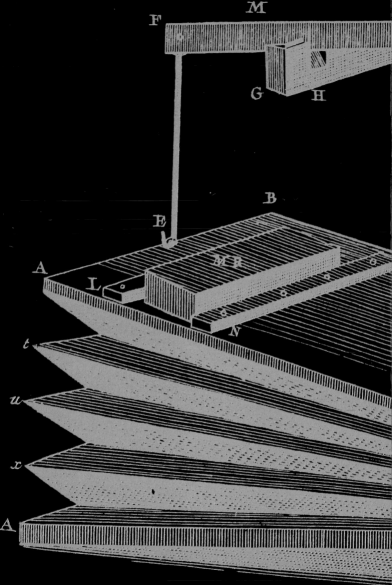

Fig. 23.

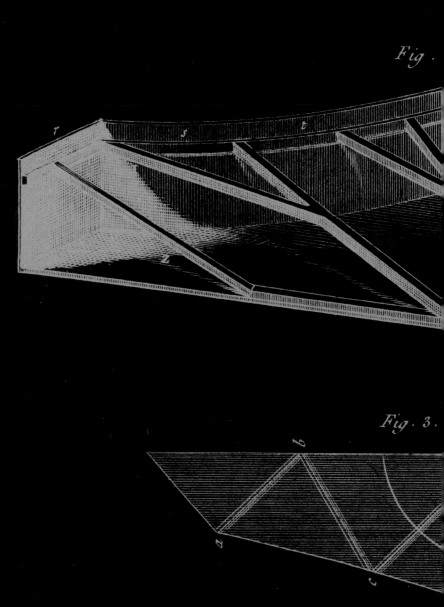

Fig .

r *s* *t*

Fig . 3 .

b

a

c

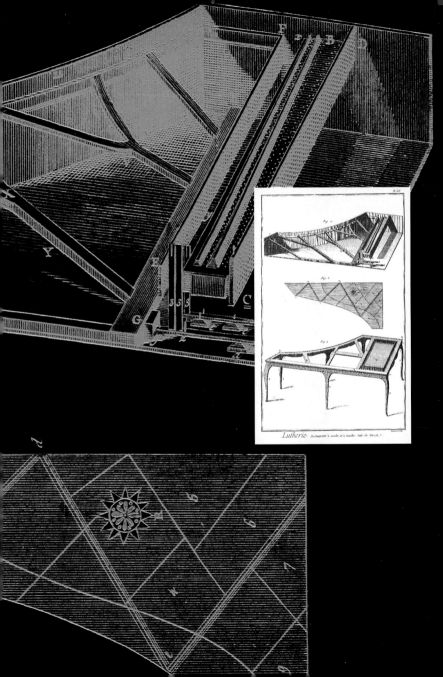

Lutherie, Instrument à corde et à touches suite du clavecin.

Né en 1960, Olivier Baumont est claveciniste. Il se produit dans les principaux festivals français et étrangers. Ses quelque vingt-cinq disques sont consacrés aux œuvres de Rameau, de Purcell, de Handel, de Bach et de compositeurs russes du XVIIIᵉ siècle. La musique de François Couperin est l'une de ses passions ; Olivier Baumont a enregistré l'intégrale des pièces pour clavecin de ce compositeur. Il dirige le festival Couperin en Seine-et-Marne.

A mes parents

Cet ouvrage a bénéficié du soutien du Conseil général de Seine-et-Marne.

Dépôt légal : janvier 1998
Numéro d'édition : 71085
ISBN : 2-07-053312-3
Imprimerie Kapp Lahure Jombart, à Evreux

COUPERIN
LE MUSICIEN DES ROIS

Olivier Baumont

DÉCOUVERTES GALLIMARD
MUSIQUE ET DANSE

Chez les Couperin, la musique est une histoire de famille : « maîtres joueurs d'instruments », organistes, clavecinistes se sont succédé au fil des générations, transmettant leur passion et leur savoir à leurs descendants. Quand François voit le jour en 1668, son destin semble tout tracé. Digne héritier d'une tradition ancestrale, il touchera à son tour plusieurs claviers.

CHAPITRE PREMIER
À SAINT-GERVAIS

Au XVIIe et au XVIIIe siècle, les familles de musiciens se réunissent souvent pour jouer ensemble (page de gauche). Les Couperin ne dérogent pas à cette règle, eux qui, de surcroît, se sont succédé de longues années durant à l'orgue de l'église parisienne Saint-Gervais-et-Saint-Protais (à droite, sainte Cécile à l'orgue).

A la naissance de
François Couperin,
le 10 novembre 1668,
voilà presque un siècle
que sa famille pratique
la musique avec talent et
passion : depuis son arrière-
grand-père Mathurin et
son grand-père Charles l'Ancien,
jusqu'à son père Charles
et ses deux oncles dont l'aîné,
Louis, voit le jour vers 1626
à Chaumes-en-Brie.

«Les trois freres
Couperins
étoient de
Chaume, petite
ville de Brie
[ci-contre],
assez proche
de la Terre de
Chambonnière. Ils
jouoient du Violon,
et les deux aînez
reussissoient très-bien
sur l'Orgue.**»**
Evrard Titon du Tillet,
Le Parnasse François,
1732

Des musiciens en famille

Un événement relaté par l'écrivain Evrard Titon
du Tillet dans *Le Parnasse François* témoigne
de l'estime dans laquelle fut tenu Louis Couperin,
premier génie de la lignée : le 24 juillet 1650 ou 1651,
accompagné de ses deux frères et de quelques
amis musiciens, il vint jouer ses œuvres
en la demeure de Jacques Champion
de Chambonnières, située au Plessis-Feu-
Aussous, près de Chaumes. Ce dernier,
qui n'était autre que le claveciniste de
Louis XIV, fut impressionné par le talent
du jeune homme et décida de le parrainer
à Paris et à la cour.

Peu après son arrivée dans la capitale,
Louis devint en 1653 organiste titulaire
de l'église Saint-Gervais. Selon le même
Titon du Tillet, la charge de «Musicien
ordinaire de la chambre du Roi pour
le Clavecin» lui fut proposée à la place

de Chambonnières, alors tombé en disgrâce. Noblement, il refusa cette fonction, «disant qu'il ne déplaceroit pas son bienfaicteur». Sensible à une telle attitude, le roi lui offrit une charge nouvelle de «dessus de Viole».

Louis mourut le 29 août 1661. Quelques mois plus tard, le 25 décembre, Charles, son plus jeune frère né en 1638, le remplaça aux claviers de Saint-Gervais. L'année suivante, celui-ci épousait Marie Guérin. François Couperin fut leur unique enfant. Il vit le jour dans le logement traditionnellement réservé à l'organiste de la paroisse, situé rue du Pourtour-Saint-Gervais – aujourd'hui rue François-Miron.

Le concert donné par Louis Couperin et ses deux frères (ci-dessus, leurs signatures) près de Chaumes a pu ressembler à celui-ci, exécuté par Etienne Bergerat et ses élèves devant Louis XIII (ci-dessous). Louis Couperin a laissé quelques œuvres pour les violes et les hautbois, et surtout plus de deux cents pièces admirables pour clavier, dont des *Préludes* libres, des *Chaconnes* et *Passacailles* pour clavecin et des *Fantaisies* pour orgue...

Sur les traces de son père

François commence peut-être la musique avec son père. Charles est alors l'un des meilleurs organistes du royaume et le titulaire d'un magnifique instrument qui a été reconstruit en 1659 selon les directives de son frère Louis. A son domicile, son fils dispose d'«une espinette en forme de Clavecin» et d'«un grand Corps de Clavecin avec un grand Clavier de pédalle» utile pour s'initier à la littérature de l'orgue.

A la mort de Charles Couperin, au début de l'année 1679, François a dix ans. Les marguilliers de Saint-Gervais – membres du conseil chargé d'administrer la paroisse – ne tardent pas à déceler la précocité de son talent; ils décident alors de lui conserver le poste d'organiste, occupé par son père, pour le jour de ses dix-huit ans. Jusqu'à cette date, Michel

A la fin du XVIIe siècle, Jacques Denis Thomelin est un organiste réputé. A Paris, l'église Saint-Jacques-de-la-Boucherie (page de droite, en bas) comme celle de Saint-Germain-des-Prés (ci-dessous, avec son

orgue), sont combles quand, les jours de fêtes, il y tient les claviers – même si le clergé lui reproche ses trop longues prestations... De ce compositeur, seule une allemande pour clavier a été conservée. Un *Suplément aux livres de messes et de motets* à l'usage de Saint-Cyr comprend un *Domine, salvum fac regem*, signé Thomelin, qui peut lui être attribué.

Richard de Lalande, organiste du Petit-Saint-Antoine, de Saint-Louis-des-Jésuites et de Saint-Jean-en-Grève, occupera cette charge.

Apprenti organiste

C'est à l'un des meilleurs confrères de son défunt époux que Marie Guérin confie l'éducation musicale de son fils : Jacques Denis Thomelin, organiste à Saint-Germain-des-Prés et à Saint-Jacques-de-la-Boucherie, était depuis 1667 l'un des quatre organistes de la Chapelle royale auprès de Jean Buterne, Guillaume Gabriel Nivers et Nicolas Lebègue. A son tour, ce «second père» remarque les dons exceptionnels du jeune garçon qu'il s'emploiera à mettre en valeur et à enrichir.

A cette époque, un apprenti organiste doit savoir harmoniser au clavier un thème de plain-chant – le chant traditionnel de la liturgie catholique romaine – placé au ténor ou à la basse.

Selon l'écrivain Titon du Tillet, Charles Couperin (ci-dessus, avec la fille du peintre), comme ses deux frères aînés, «se fit connoître pour la manière sçavante dont il touchoit l'Orgue». Son fils François a-t-il eu le temps de profiter de ses conseils? A-t-il commencé son apprentissage musical à l'âge de six ou sept ans, comme il le conseillera bien plus tard dans son ouvrage *L'Art de toucher le Clavecin*?

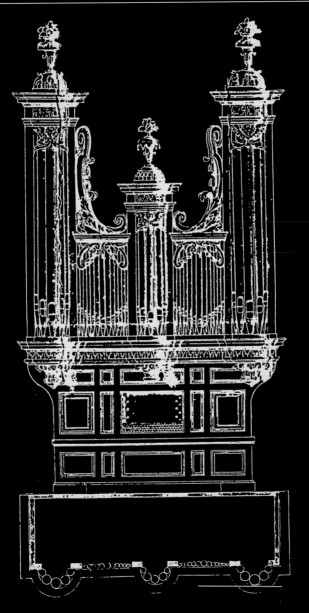

"C'est le plus grand et le plus harmonieux de tous les instruments de Musique, qui est particulierement en usage dans les Eglises pour celebrer l'Office divin avec plus de solemnité. […] on appelle buffet d'orgue, cette construction de menuiserie qui enferme toute la machine. Le grand Buffet sert pour le grand jeu, qu'on appelle le grand corps, et le petit Buffet pour le petit jeu, qu'on nomme le positif [ci-contre, l'orgue de la collégiale Sainte-Opportune à Paris, 1695]. L'Orgue a deux ou trois, et quelquefois quatre ou cinq claviers dans les grands buffets […]. Une orgue a pour le moins 2000 tuyaux […]. Les simples jeux de l'orgue sont la monstre, le premier et le second bourdon, le prestant, la doublette le flageolet, le nazard, la fluste d'Alleman, la tierce, la fourniture, la grosse cimbale, la seconde cimbale, le cornet, le larigot, la trompette, le clairon, le cromorne, la regale ou la voix humaine, la pedale, la trompette et la fluste de pedale, sans compter le tremblant. De ces jeux on en fait plusieurs composez qu'on varie en une infinité de façons."
Antoine Furetière,
«Orgue»,
Dictionnaire Universel,
La Haye, 1690

Il doit aussi pouvoir accompagner un chanteur ou un instrumentiste en réalisant une basse continue. Cette pratique lui permet ensuite d'aborder la composition.

Quels sont les exemples de musique française pour clavier dont dispose le jeune Couperin ? Tout d'abord les œuvres de son maître Thomelin, de son oncle Louis et de son père – Titon du Tillet en signale l'existence. D'autre part, les récentes parutions parisiennes ne doivent pas manquer de l'intéresser. Les deux premiers livres de *Pieces d'Orgue* et *Les Pieces de Clavessin* de Lebègue (1676, vers 1678 et 1677), les *Pieces de Luth* adaptées pour le clavecin par Perrine (1680) et le tout nouveau *Livre de musique dédié à la Très Saincte Vierge* de Nicolas Gigault (1683) peuvent ainsi enrichir son développement.

Une paroisse prestigieuse, un travail épuisant

En 1683, lorsque François Couperin a quinze ans,
Lalande devient l'un des quatre «Sous-Maîtres»
de musique de la Chapelle royale. A l'instar des
organistes, les sous-maîtres travaillent par quartier
de trois mois;
le quartier d'octobre
échoit au musicien.
Dès cette date, sans
doute Couperin
remplace-t-il Lalande
à Saint-Gervais. Ainsi
les marguilliers n'ont
pas attendu ses dix-huit
ans pour l'engager
comme organiste :

Lebègue a publié
trois livres d'orgue
(ci-dessous), deux de
clavecin et des *Motets
pour les principales
festes de l'année* en
1687.

le 1er novembre 1685 «est arresté que […] l'on payera
au sieur Couperin organiste pour ce qu'il a joué
et pour ce qu'il jourra à raison de trois cens livres
par an aux quatre quartiers accoustumés jusques
à ce qu'il soit faict avec luy un marché».
    Le contact avec l'une des paroisses les plus en vue
de la capitale permet à Couperin d'évoluer dans
un milieu très stimulant : l'abbé Boileau, le frère
du poète, prêche quelquefois le carême; Bossuet
prononce l'oraison funèbre du chancelier Le Tellier

Si Lalande (page de
gauche) se consacre
surtout à la musique
religieuse, il écrit
aussi des pièces
instrumentales pour
la cour, telles les
Symphonies pour
les soupers du roi.

en 1686 et
Mme de Sévigné
vient écouter les
sermons du père
Soanen en 1689.
La pratique
religieuse en
l'église Saint-
Gervais se prête
volontiers à un
faste imposant,
et l'organiste a peu
de temps libre :
il lui faut assurer
quelque trois cent
cinquante à quatre

**Le magnifique et
superbe portail de cette
église [Saint-Gervais,
à gauche] doit être
considéré comme
le plus beau morceau
d'architecture qu'il y
ait à présent en Europe
[…]. Au sentiment du
cavalier Bernin, on n'a
rien vu de plus correct
ni de plus parfait dans
les ouvrages modernes
les plus renommés.
Les trois ordres font
une fabrique d'une
très grande hauteur.**
Germain Brice,
*Description de la ville
de Paris*, 1684

Le contrat signé par Louis Couperin avec la paroisse Saint-Gervais précise son emploi du temps d'organiste : il doit par exemple être présent le «lundy a la grande messe et a vespres. Le mardy a la grande messe au lieu ou yra en procession».

cents services par an! Le contrat passé avec Louis Couperin ayant été reconduit presque à l'identique pour ses successeurs, François assume les mêmes tâches : il participe aux services réguliers tout au long de la semaine et, durant l'année, plus de trente dates du calendrier religieux requièrent son concours.

Professeur, expert... mais peu fortuné

Dans sa vingt et unième année, François Couperin épouse Marie Anne Ansault le 26 avril 1689. Le contrat de mariage le nomme, comme son père, «sieur de Croully» (Crouilly). La jeune femme apporte une dot confortable de cinq mille trois cents livres tandis que François, peu fortuné, «les meubles meublans, ustancils de ménage et autres choses estant dans l'appartement par luy occupé en particulier»... Moins d'un an plus tard naît une fille, Marie-Madeleine, qui est baptisée le 11 mars 1690.

A cette même période, la réputation du musicien s'accroît. Il se lie d'amitié avec Nicolas Siret,

organiste de Troyes. Le 25 avril 1691, il fait
l'expertise d'un orgue à deux claviers chez Simon
Lemaire, organiste de l'église Saint-Honoré. Un an
plus tard, son nom figure auprès de ceux de Lebègue,
Thomelin, Pierre Dandrieu et Gaspard Le Roux
dans *Le Livre commode des adresses de Paris*
à la rubrique «Maîtres pour l'orgue et le clavecin».

Couperin et sa
femme ont
établi un contrat de
mariage en 1689
(ci-contre, la signature
de l'époux), comme le
font les personnages de
ce tableau d'Antoine
Watteau (ci-dessous).

Dialogue de l'orgue et du chœur

Pendant que son activité de musicien s'intensifie, Couperin commence à composer : en 1690 il présente au public ses *Pieces d'orgue Consistantes en deux Messes l'Une à l'usage ordinaire des Paroisses, pour les Festes Solemnelles. L'Autre propre pour les Conuents de Religieux, et Religieuses.* Seules les pages de titre et d'«extrait du Privilege» sont imprimées. Un certificat signé par Lalande, qui trouve ces œuvres fort belles, cautionne ce travail.

Les cérémonials de l'époque régissent de manière rigoureuse les interventions de l'orgue durant l'office. L'ordinaire de la messe suit l'ordonnance *Kyrie, Gloria, Credo, Sanctus, Agnus Dei* à laquelle s'ajoute

Sans doute par manque d'argent, car les compositeurs financent alors eux-mêmes l'édition de leurs œuvres, les pages de musique de ces *Pieces d'orgue* (ci-dessous) ne sont pas gravées mais sont copiées à la main en un petit nombre d'exemplaires. Cette manière de diffuser la musique n'est pas rare au XVIIᵉ siècle; ainsi plusieurs opéras sont-ils disponibles sous cette forme.

communément l'*Ite missa est*. La messe pour orgue respecte ce plan : elle est fondée sur le principe de l'alternance entre des versets joués à l'orgue – que Couperin intitule *Couplets* – et d'autres interprétés en plain-chant par le chœur. Seuls le *Gloria* et l'*Ite missa est* débutent par le plain-chant, cette fois entonné par le prêtre. L'orgue remplace certaines phrases liturgiques, devenant alors le chant intérieur de la communauté ainsi que, selon le texte, la parole du ciel. De plus, la tradition organistique impose au musicien de jouer pendant l'offertoire – situé après le *Credo* où il n'intervient pas –, de placer en des endroits précis certains genres musicaux – la fugue pour le *Kyrie* – et d'utiliser des registrations spécifiques de l'instrument – le récit en taille pour le *Benedictus* ou l'élévation.

Afin d'éviter toute contrefaçon, le cachet du compositeur – deux C entrelacés, qui signifient Couperin de Crouilly – est apposé sur certaines pages. L'*Offertoire sur les Grands jeux* de la messe des *Paroisses* révèle l'influence des *Ouvertures* d'opéras de Jean-Baptiste Lully.

PIECES D'ORGUE

Consistantes en deux Messes
l'Une à l'usage ordinaire des Paroisses,
Pour les Festes Solemnelles.
L'Autre propre pour les Conuents de Religieux
et Religieuses.

COMPOSÉES PAR F. COVPERIN, S.ʳ DE CROUILLY
ORGANISTE DE S.ᵗ GERVAIS.
Le Prix de chacune Messe iiii Livres.
A PARIS.
chez l'Autheur proche le Grand Portail
de l'Eglise S.ᵗ Geruais

AVEC PRIVILEGE DV ROY.

Les deux messes de François Couperin (à gauche) comportent chacune vingt et une pièces. La messe des *Conuents* nécessite un orgue moins important que la messe des *Paroisses*. Le compositeur tient compte ici de la différence qui existe alors entre les instruments des paroisses et ceux des couvents.

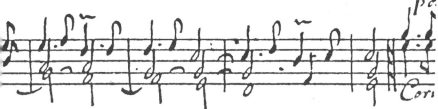

Recueillement et mondanité

L'orgue symbolise par excellence la ferveur et le faste qui caractérisent la foi des Grands de ce siècle. Instrument de prière, il se métamorphose grâce à la richesse et à la variété de ses jeux en une sorte de «concert françois» où interviendraient la flûte, le cromorne et la trompette. Il évoque ainsi un *instrumentarium* profane pour une musique sacrée. Son répertoire mêle recueillement et mondanité, concentration et séduction. Les deux messes de Couperin, d'où surgissent parfois des rythmes de danses, en sont un bel exemple. Le compositeur a désormais atteint sa majorité musicale : elle va se confirmer grâce à la découverte de l'art italien.

L'ouvrage du père Valfray (1669) et la *Dissertation sur le chant grégorien* de Nivers (1683) offrent à l'interprète désireux de jouer ces messes avec le plain-chant alterné de précieuses indications sur le style vocal requis. Le plain-chant du XVIIᵉ siècle ne possède presque rien de commun avec la restitution du chant grégorien qui sera prônée par l'abbaye bénédictine de Solesmes à partir de la fin du XIXᵉ siècle.

«Serviteur passionné de l'Italie»

Comme nombre de ses contemporains, le jeune Couperin n'échappe pas à la fascination qu'exerce l'Italie. En 1706, dans la *Comparaison de la musique italienne et françoise*, Le Cerf de La Viéville le cite comme un «serviteur passionné de l'Italie». Si ce jugement semble excessif au regard de l'ensemble de son œuvre, il révèle toutefois l'état d'esprit du musicien à cette période. Parmi les compositeurs

La passion que nourrit le compositeur pour l'Italie (ci-dessous, une vue de Rome) et pour sa musique sera déterminante pour l'élaboration de l'ensemble de son œuvre.

italiens, Arcangelo Corelli, qui signe de somptueux ouvrages instrumentaux, attire en particulier son attention.

Couperin a le loisir d'entendre cette musique à Paris mais sans doute aussi au château de Saint-Germain-en-Laye où, dès 1689, s'est créé un foyer d'italianisme grâce aux monarques anglais en exil – les Stuarts Jacques II et son épouse Marie de Modène, puis Jacques III.

A Paris, plusieurs concerts privés sont organisés. Selon Michel Corrette, la première audition parisienne des sonates en trio de Corelli a lieu chez l'abbé Nicolas Mathieu, nommé à Saint-André-des-Arts en 1681 ; ce dernier possède un petit orgue, un clavecin, des violes, des violons et une basse de violon. A sa mort en 1706, sa bibliothèque compte près de deux cents œuvres de musiciens italiens, Giovanni Battista Bassani ou Paolo Lorenzani, et français, Marc Antoine Charpentier ou Jean-Baptiste Lully.

De superbes sonates...

Au début des années 1690, Couperin compose cinq sonates en trio, *La Pucelle*, *La Visionnaire*, *L'Astrée*, *La Steinquerque* et *La Superbe* ainsi qu'une sonate en quatuor, *La Sultane*, peut-être plus tardive. Trois d'entre elles

Accueillie par Louis XIV à Saint-Germain-en-Laye à la fin du XVIIe siècle, la cour de Jacques II d'Angleterre (ci-dessus) puis celle de Jacques III y demeurent jusqu'en 1712. En 1691, des courtisans de Jacques II sont chargés de rapporter de Rome des ouvrages de musique italienne, et en particulier de Corelli. Ses douze *Sonate a tre* (opus 3, 1689) sont dédiées au duc de Modène, Francesco II, le frère de Marie de Modène. Nombre de musiciens travaillent alors à Saint-Germain-en-Laye. Parmi eux, le compositeur italien Innocenzo Fede, établi en France dès 1689, est connu comme «Surintendant de la Musique du Roi d'Angleterre».

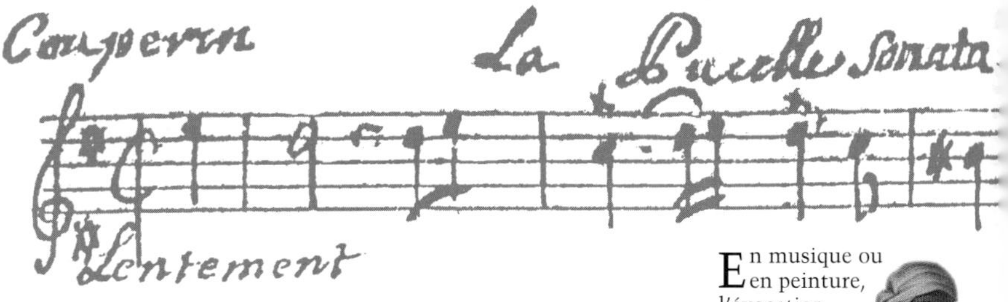

Couperin — *La Pucelle* sonata — *Lentement*

En musique ou en peinture, l'évocation d'une sultane (ci-dessous) témoigne du goût pour l'exotisme que cultive cette époque.

seront révisées par le musicien afin de figurer dans *Les Nations* en 1726 : *La Pucelle* se transformera en *Françoise*, *La Visionnaire* en *Espagnole* et *L'Astrée* en *Piémontoise*.

Dans l'« Aveü de l'Auteur au Public » placé au début de ce recueil, Couperin évoquera l'histoire de la première de ses sonates écrites à la suite de celles de Corelli : « Charmé de celles du signor Corelli, dont j'aimeray les Œuvres tant que je vivray; ainsy que les Ouvrages-françois de Monsieur de Lulli, j'hazarday d'en composer une, que je fis éxécuter dans le Concert où j'avois entendu celles de Corelli; connoissant l'âpreté des françois pour les Nouveautés-étrangères, sur toutes choses, et me Déffiant de moy-même, je me rendis, par un petit mensonge officieux, un très bon service. Je feignis, qu'un parent que j'ay, effectivement, auprès du Roy de Sardaigne, m'avoit envoyé une Sonade d'un nouvel Auteur italien : je rangeai les Lettres de mon nom, de façon que cela forma un nom italien que je mis à la place. La Sonade fut dévorée avec empressement; et j'en tairay l'apologie. » Le parent cité ici est Marc Roger

En musique ou en peinture, l'évocation d'une sultane (ci-dessous) témoigne du goût pour l'exotisme que cultive cette époque.

Normand, fils de Marc Normand et d'Elisabeth Couperin, tante du compositeur. Le «petit mensonge» témoigne de l'esprit incisif de Couperin, se moquant des admirateurs incompétents et partiaux. Il prouve, avec férocité mais avec amertume aussi, qu'une œuvre est plus applaudie quand son auteur

S i François Couperin nomme l'une de ses sonates *La Pucelle* (page de gauche, en haut), c'est peut-être parce qu'elle constitue la première «qui ait été composée en France», précise-t-il. Choisir deux violons pour jouer ces sonates en trio permet d'en souligner les origines ultramontaines (ci-dessus, un violoniste italien).

Sonata II

semble être italien plutôt que français. Cette volonté d'honorer le talent sans préjuger de son origine se retrouvera plus tard dans les écrits du musicien.

Ebauche des «Goûts-réünis»

Aujourd'hui, ces premières sonates de Couperin paraissent tout aussi françaises qu'italiennes : le compositeur réalise déjà – presque à son insu – une fusion des goûts musicaux. En 1683, Henry Purcell publiait un recueil de *Sonnata's of III Parts* qu'il souhaitait italiennes et qui pourtant étaient tellement anglaises. Il est vrai qu'aucun de ces deux artistes n'a séjourné dans le pays de Corelli. En revanche, au début du XVIIIe siècle, George Frideric Handel, voyageur insatiable, sera bien plus italien que ses aînés.

En 1693, François Couperin a vingt-cinq ans. Il va obtenir la consécration suprême pour un musicien français du Grand Siècle : «être au Roy». En effet, appartenir à l'un des trois départements de la musique du roi – la Chapelle, la Chambre et l'Ecurie – représente le fruit de longues années de travail, une garantie financière appréciable et la reconnaissance publique du talent.

❝Depuis que Corelli a inventé le genre de la Sonate et du Concerto [à gauche et ci-dessous, une *Sonata a tre* de son opus 3] la Musique à fait des progrès étonnants dans toute l'Europe, c'est à cet illustre Auteur a qui on est redevable de la bonne harmonie et de la brillante Symphonie. Avant luy les Concerts en France étoient médiocres. [...] Cette Musique d'un genre nouveau encouragea tous les Auteurs à travailler dans un gout plus brillant. [...] tous les Concerts prirent une autre forme : les Scènes et les Symphonies d'Opéra céderent la préséance aux Sonates; [...] chacun travailla jour et nuit a apprendre ces Sonates.❞
Michel Corrette,
Le Maitre de Clavecin,
1753

Cinq portraits de Couperin sont aujourd'hui connus, parmi lesquels ce dessin (page de droite).

Être au roi : de quelle autre dignité peut donc rêver un musicien en cette fin du XVIIᵉ siècle? Considéré comme le plus expérimenté en son art, François Couperin devient à vingt-cinq ans l'un des quatre organistes de la Chapelle. A la cour, il partage désormais son temps entre les offices, les concerts et les leçons données aux princes.

CHAPITRE II
ÊTRE AU ROI

Les artistes établis à la cour sont chargés de magnifier le règne de Louis XIV (à gauche, une allégorie du Roi-Soleil). Si François Couperin contribue désormais au prestige de la Chapelle, il concourt aussi à celui de la musique de la Chambre du roi (à droite, des «concerts sous la feuillée» dans le jardin de Trianon).

Tout au long de son existence, Louis XIV a témoigné
d'un engouement très vif pour la musique. Car le
Roi-Soleil est aussi un roi musicien, qui sait danser,
jouer du luth et de la guitare; de plus, il a fait placer
un orgue dans ses Appartements et un clavecin dans
le Cabinet du Conseil. Si le début de son règne
a été marqué par une magnificence extraordinaire,
multipliant opéras et grands divertissements,
et permettant l'accomplissement de carrières
prestigieuses, les années 1690 révèlent en revanche
un caractère plus intime, plus religieux. C'est à
cette époque que François Couperin fait son entrée
chez le roi.

Choisi par Sa Majesté

Le musicien est alors connu, reconnu, estimé
à la fois par son ancien maître Thomelin, organiste
du roi, et par Lalande, qui occupe de nombreuses
fonctions tant à la Chapelle qu'à la Chambre. Sans
doute est-ce par leur intermédiaire que Couperin
commence à fréquenter la cour – installée
officiellement à Versailles depuis 1682. Le décès
de Thomelin en 1693 va précipiter les événements.

En décembre, un concours est organisé par
Louis XIV : dans l'après-dîner, raconte le marquis
de Sourches, le roi «voulut bien entendre jouer
sept organistes différents pour en choisir un à la
place d'un des siens (qui s'appeloit Thommelin),
qui étoit mort; mais, après les avoir entendus,

Une fois choisi par
le roi, l'organiste
de la Chapelle royale
reçoit, en plus de
ses six cents livres
d'appointements
– qui représentent
une somme importante
puisqu'elle correspond
au service durant
un seul trimestre –,
des compléments
pour couvrir ses frais
de nourriture,
de montures...
(Ci-dessous, le décret
nommant Couperin
organiste du roi.)
Le musicien est
également autorisé
à postuler pour
plusieurs offices et
à devenir titulaire
d'autres charges
à la cour. En outre,
il peut, comme cela
sera le cas pour
François Couperin,
bénéficier d'une
pension royale.

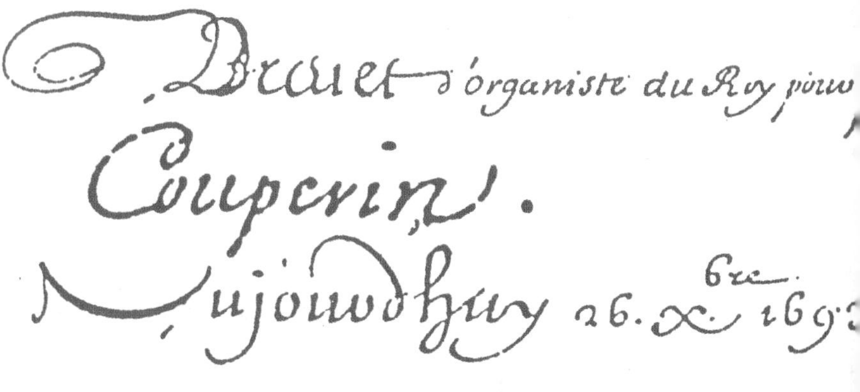

À l'instar de son père Louis XIII, le Roi-Soleil (ci-contre, au début du recueil évoquant *Les Plaisirs de l'Île Enchantée*) porte une attention particulière à ses musiciens. A Versailles, les journées du souverain sont ponctuées de musique : à son lever et à son coucher, durant la messe, au dîner, lors des visites d'ambassadeurs ou de personnalités étrangères importantes et, souvent, pendant ses marches ou ses promenades en bateau. Des concerts sont donnés chaque soir, sauf le samedi, dans ses Appartements. Fondateur de l'Académie de danse en 1661 et de l'Académie de musique en 1669, Louis XIV a stimulé le développement de différents genres musicaux, que ce soit dans le domaine de l'opéra, de la musique religieuse ou de la musique de chambre, permettant à des artistes tels que Jean-Baptiste Lully ou Michel Richard de Lalande de trouver à la cour un milieu des plus favorables à la création de leurs œuvres.

il ne voulut pas déclarer son choix, qu'on sut trois jours après être tombé sur un nommé Couperin ». Le 26 de ce mois, la décision est prise : Sa Majesté considère Couperin comme le plus expérimenté en cet exercice et le nomme organiste de la Chapelle royale – lui dont le père était déjà maître de clavecin de la duchesse d'Orléans.

Au cours de son histoire, Versailles a vu se succéder cinq Chapelles (à gauche, la quatrième Chapelle, dans laquelle Couperin travaille jusqu'en 1710). La Chapelle royale est à la fois un lieu et une institution. En tant qu'institution, elle est divisée en Chapelle-Oratoire, qui réunit les ecclésiastiques, et en Chapelle-Musique, à laquelle Couperin est attaché. Cette Chapelle-Musique dépend d'un maître, haut dignitaire de l'Eglise : non musicien, il laisse aux quatre sous-maîtres le soin d'organiser et de diriger la musique liturgique. L'emploi de compositeur à la Chapelle représente avant tout une charge honorifique et ne requiert pas de services réguliers. Sous les ordres des sous-maîtres sont placés les quatre organistes, tour à tour accompagnateurs, improvisateurs et virtuoses, les chantres – l'*Etat de la France* n'en dénombre pas moins de quatre-vingt-quatorze en 1702 –, les symphonistes, qui proviennent souvent des autres départements de la Musique du roi, enfin l'imprimeur, chargé d'éditer les œuvres sacrées jouées à la Chapelle; les Ballard détiennent alors le privilège de cette fonction.

Le buffet de l'orgue imaginé par Jules Hardouin-Mansart en 1679 ne convient plus aux dispositions et à l'ampleur de la nouvelle Chapelle construite à Versailles. Robert de Cotte, le successeur de Mansart, dessine un nouveau buffet (ci-contre), qui est réalisé en 1710-1711 par les meilleurs sculpteurs de l'époque. Objet de tous les regards, cet orgue se doit de posséder une enveloppe magnifique. Le mélange des ors mats et brunis – brillants – s'accorde à la splendeur du lieu.

Cet orgue fait la fierté de la Chapelle royale tout au long du XVIIIᵉ siècle. Il sera régulièrement entretenu par les Clicquot : Louis Alexandre puis François Henri. Les travaux qu'ils exécuteront consistent en des restaurations, des réfections d'éléments endommagés et en des augmentations de jeux destinées à renforcer les sonorités de l'instrument ou à en diversifier les timbres.

Il y servira pendant le quartier de janvier et percevra des gages de six cents livres. Ses fonctions prennent effet dès janvier 1694. Ses trois collègues en place sont Buterne, Nivers et Lebègue. Outre les tâches requises dans une paroisse, soit l'exécution de la messe pour orgue avec le plain-chant alterné, l'organiste du roi doit aussi soutenir les chantres

– les chanteurs – et les symphonistes – les instrumentistes – dans les grands ou les petits motets concertants.

A la Chapelle royale

A Versailles, la Chapelle – devenue le salon d'Hercule – est alors située entre le Grand Appartement du roi et la grotte de Thétis. Bénie en 1682, elle sera utilisée par la cour jusqu'en 1710 – date à laquelle lui succédera celle commencée par Jules Hardouin-Mansart et achevée par Robert de Cotte, qui est visible aujourd'hui.

Quant au grand orgue, sa construction a été confiée en 1679 aux deux facteurs Etienne Enocq et Robert Clicquot. Puis l'instrument a vieilli pendant trente ans dans l'atelier de ce dernier qui, avec l'aide de son associé Julien Tribuot, y apporte des modifications considérables et le place enfin en 1709 dans la nouvelle Chapelle. Il est inauguré le jour de Pâques 1711. Auparavant, les quatre organistes du roi devaient sans doute disposer de plusieurs orgues positifs de quelques jeux.

L'inventaire des meubles de la Couronne répertorie en 1673 deux cabinets d'orgues, dont l'un «a ressorts, doré et noircy, porté sur des sphinx dorez, hault de douze pieds, large de six pieds sur deux pieds de profondeur». Celui de 1729 mentionnera deux orgues portatifs, dont l'un a «deux corps et quatre battans de bois peint façon de la Chine fond noir a rainceaux et fleurs or et argent, personnages, oiseaux et païsages de plusieurs couleurs». Il recensera aussi un clavecin qui renferme «un cabinet d'orgues garny de ses tuyaux et souflets» (ci-dessous, un buffet d'orgue et un clavecin, à Versailles au XVIIIe siècle).

peu [...] Bouffet d'orgues d'Allemagne de bois d'Ebeme avec Termes et Ornemens de bronze doré q pieds de haut sur 7 1/2 de larg le Dome a 4 pieds dehaut

Petit Claucsin a gomes et filets dorez de 2 pieds de haut et q pieds de larg 2 pieds de profondeur. le Claucsin a 10 pouces de haut de 3 pieds 10 pouces de larg

«Professeur-maître de composition et d'accompagnement»

Si Couperin occupe désormais la charge d'organiste du roi, il remplit aussi une autre fonction à la cour : «Il y a vingt-ans que j'ay l'honneur d'estre au Roy, et d'enseigner presqu'en même temps à Monseigneur le Dauphin-Duc de Bourgogne, et à six Princes ou Princesses de la Maison Royale», notera-t-il

La Ménetou.

Françoise Charlotte de Seneterre, dite Mlle de Ménetou (ci-contre), est née en 1680. Immortalisée par une pièce appartenant au *Second Livre* de Couperin (page de droite), elle révèle des talents précoces pour la musique : elle compose dès l'âge de neuf ans et se fait entendre du roi. Selon le marquis de Dangeau, ce dernier trouve «la musique délicieuse».

en 1713 dans la préface de son *Premier Livre de clavecin*. A plusieurs reprises, le compositeur se présente comme le «Professeur-maître de composition et d'accompagnement» du dauphin : une telle désignation signale qu'il ne s'agit pas là de simples leçons de clavecin mais de cours de musique, selon une acception plus large du terme, c'est-à-dire d'une formation instrumentale comme d'une initiation à l'accompagnement et à la composition. Couperin adapte la difficulté de ses leçons aux possibilités et à l'âge de chacun.

Savoir l'accompagnement semble rencontrer un succès considérable auprès des mélomanes, plus encore que savoir jouer seul – ce qui n'est pas étranger à la vogue récente des sonates à l'italienne. Le Cerf de La Viéville s'en plaint ainsi : «La plûpart des jeunes gens, qui apprennent à jouer du Clavessin, de la basse de Viole, du Thuorbe, dédaignent d'apprendre des Pièces. Et qu'apprennent-ils donc ?

Né en 1682, le duc de Bourgogne (page de gauche) est le petit-fils de Louis XIV, le fils du Grand Dauphin et le père de Louis XV. Il n'est dauphin qu'une seule année, de la mort de son père en 1711 jusqu'à son propre décès en 1712. Le 31 décembre 1699, le marquis de Dangeau note que le duc de Bourgogne est allé chez la princesse de Conti pour répéter *Alceste*, l'opéra de Lully, notamment aux côtés de la princesse de Conti en personne et du comte de Toulouse.

l'accompagnement.» Pour répondre à ces besoins, Couperin rédige des *Regles pour l'accompagnement*.

Parmi les élèves de Couperin, qu'ils soient temporaires ou réguliers, plusieurs sont dotés de véritables dons. Le duc de Bourgogne, le futur dauphin, travaille avec son professeur pendant plus de douze ans. La princesse de Conti, première Mlle de Blois, fille du roi et de Mme de La Vallière, a témoigné durant toute son existence d'une grande passion pour la musique. A la mort de son maître Jean Henry d'Anglebert en 1691 – qui lui dédia ses *Pieces de Clavecin* –, elle étudie peut-être auprès de son fils, Jean-Baptiste Henry, et auprès de Couperin.

"Dur et colère jusqu'aux derniers emportements, et jusque contre les choses inanimées [le duc de Bourgogne aime] la musique avec une sorte de ravissement, et le jeu encore, où il ne pouvoit supporter d'être vaincu, et où le danger avec lui étoit extrême.**"**
Duc de Saint-Simon, *Mémoires*, 1712

Un grand amateur de musique

Le comte de Toulouse, l'un des enfants légitimés de Louis XIV et de Mᵐᵉ de Montespan, suit aussi l'enseignement de Couperin. Le comte est l'une des personnalités les plus intéressantes que côtoie le compositeur. Bon musicien, il commence entre 1703 et 1705 une collection importante de partitions, supervisée par André Danican Philidor l'Aîné, elle regroupe plusieurs centaines de volumes,

Le comte de Toulouse est représenté en habit de novice du Saint-Esprit vers 1694 (ci-dessus), sans doute au moment où il commence à travailler avec Couperin. Titon du Tillet a confirmé la longévité des liens qui ont uni le musicien et son protecteur.

principalement des manuscrits. Cette bibliothèque est en grande partie composée d'œuvres religieuses, en particulier des motets de Lalande, de Campra, de Legrenzi et de Carissimi – elle constitue aujourd'hui l'unique source pour douze des motets de François Couperin.

Le comte de Toulouse entretient des rapports étroits avec le musicien : jusqu'à sa mort, il lui versera en effet une pension de mille livres, une somme très élevée pour celui qui reçoit six cents livres comme organiste du roi et, dans le meilleur des cas, quatre cents à l'église Saint-Gervais.

D'autres figures princières bénéficieront par la suite des conseils du « Professeur-maître » : deux ou trois des filles du duc et de la duchesse de Bourbon, puis l'infante d'Espagne – qui fut un temps promise à Louis XV –, enfin Marie Leczinska, la future reine de France.

En 1713, le comte de Toulouse acquiert l'hôtel de La Vrillière à Paris (ci-dessous), construit en 1634-1640 ; il confie à Robert de Cotte le soin de le transformer. Cette demeure, qui aujourd'hui fait partie de la Banque de France, est bientôt connue au XVIIIe siècle comme l'« hôtel de Toulouse ». François Couperin passera les neuf dernières années de son existence dans un appartement situé « au coin de la rue neuve des bons Enfans », à proximité de la résidence du comte.

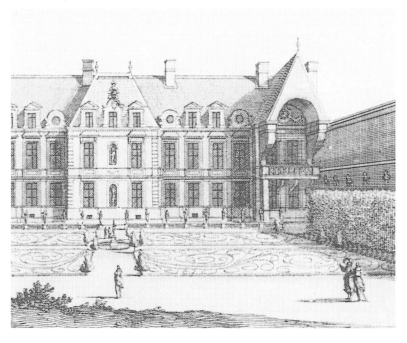

La Bourbonnoise Gavote.

Une galerie de portraits

Tous ces hauts personnages, à la fois élèves et
protecteurs, deviennent une source d'inspiration
pour le compositeur. Ils sont, écrira-t-il, les
«aimables originaux» dont il brosse des «espèces
de portraits» dans ses pièces de clavecin : ainsi
L'Auguste honore Louis XIV, *Les Graces
incomparables, ou La Conti* la première
Mlle de Blois, *La Bourbonnoise, La Charoloise*
et *La Princesse de Sens* les filles du duc de Bourbon,
La Princesse Marie Marie Leczinska.

Si ces pièces ne seront éditées que plus tard,
certaines sont créées à l'époque où Couperin
commence à se rendre à
la cour. S'étendant sur
quelque quarante années,
son œuvre pour clavecin
apparaît comme
l'équivalent musical des
Mémoires de Saint-Simon
ou des *Caractères* de
La Bruyère : une mise en
scène subjective, partiale,
de Versailles et de ses
acteurs.

Des concerts exquis

Le musicien partage aussi
la vie du souverain ou des
Grands dans leurs divers
déplacements. En 1701,
il supplée Lebègue à l'orgue
du château de Sceaux où
la cour s'est établie pour

Décrivant en des
nuances infinies
les grandes figures
de la cour, de Mlle de
Bourbon à Marie
Leczinska (ci-dessus),
Couperin retrouve
l'esprit de La Bruyère :
«Qui peut nommer
de certaines couleurs
changeantes, et qui
sont diverses selons les
divers jours dont on les
regarde? de même qui
peut définir la cour?»

La Princesse Marie

deux jours. Il participe aussi à des concerts.
Le 17 juillet de cette même année, il joue chez le duc
de Bourbon, à Saint-Maur : « On fut agreablement
diverti par un très beau concert, composé de
Messieurs Couperain, Vizée, Forcroy, Rebel et Favre,
Philbert et Decotaux », relate le *Mercure galant*. Puis,
le 23 novembre, « le Roy entendit après son souper
dans son cabinet un concert exquis d'airs Italiens,
exécuté par les Sieurs Forcroy pour la viole, Couperin
pour le clavessin, et du jeune Baptiste qui est
à Monseigneur le Duc d'Orléans pour le violon ».

Le château de Saint-Maur (ci-dessous), aujourd'hui détruit, a été la résidence du Grand Condé puis celle de son petit-fils, Louis III de Bourbon-Condé, dit « Monsieur le Duc ». Ce dernier épouse Mlle de Nantes, fille de Louis XIV et de Mme de Montespan, qui a été l'élève de Lalande. Enseignant à leurs filles, Couperin s'est rendu plusieurs fois à Saint-Maur pour y donner des concerts.

••Il y a environ
quarante ans qu'il
s'établit une mode
en France, qui fut
suivie de tous ceux
qui estoient capables
de penser et de
reflechir sur eux-
mêmes. Chacun
s'étudia autant qu'il
luy étoit possible pour
se peindre soi-même
dans des Ouvrages
appellez *Portraits*, faits
en Vers ou en proses
[...]. Les amis firent
ceux de leurs amis;
les Sçavants, ceux
des Sçavants; les
Amants, ceux de
leurs maistresses, et
plusieurs firent ceux
des Souverains et de
quantité de personnes
distinguées.**••**

Mercure galant,
décembre 1704

A son clavecin,
Couperin répond
aux portraits peints (ci-
contre, *L'Enchanteur*
de Watteau) et aux
portraits littéraires
évoqués par le *Mercure
galant*. Ses titres
servent autant à
décrire une personne
qu'à caractériser sa
musique afin de guider
l'interprète. Ainsi,
le titre *l'Enchanteresse*
(à gauche) évoque
peut-être une figure
de l'entourage du
compositeur; il signale
aussi que cette pièce
doit être jouée d'une
façon «enchanteresse»,
qu'elle doit créer un
effet «enchanteur».

En 1702, Marguerite Louise, la cousine du compositeur, est admise à Versailles comme voix de dessus. Elle chante avec goût et joue parfaitement du clavecin, raconte Titon du Tillet qui la décrit comme l'une des plus célèbres musiciennes de son temps. Sans doute recommandée par Couperin, elle ne tarde pas à se produire avec lui en concert.

En 1695, les professeurs de clavecin et les organistes gagnent contre Guillaume Dumanoir, maître de la Ménestrandise. (*Mxnxstrxndxsx*, écrit Couperin avec humour).

Quatriéme Acte.

Les Jnvalides : ou gens Estropiés au Service ...

Mxnxstrxndxsx.

Les Dislo- qués

Les Boi- teux.

Querelle avec la Ménestrandise

Ses relations avec la cour comme sa nomination à la Chapelle royale donnent à Couperin le sentiment d'appartenir à une sorte d'aristocratie musicale et l'incitent à participer, peu avant sa prise de fonction à Versailles, à une querelle avec la Ménestrandise, une ancienne «Communauté des Maîtres à danser et joueürs d'instruments, tant haut que bas et haut-bois», fondée en 1321; chaque corps de métier s'organisait en corporation qui défendait les intérêts communs. L'autorité de cette «communauté» décline

«La Cour faisant droit sur le tout sans s'arrester à l'intervention du dit Dumanoir [...]; ayant égard à celle des dits sieurs Nivers, Le Bègue, Buterne, Couperin et consors [...] condamne les dits Dumanoir et jurés aux dépens.**»**
Rapport du procès avec la Ménestrandise, 3 mai 1695

fortement au cours du XVIIe siècle lors de l'élaboration de la Musique du roi : ce dernier entend ainsi lutter contre tout pouvoir parallèle à celui de ses propres institutions. En 1693, la Ménestrandise somme les clavecinistes et les organistes de lui payer les droits de

grande

maîtrise dont ils sont censés être redevables. Elle obtient gain de cause mais, le 16 juin, plusieurs professeurs de clavecin font appel devant le Parlement. Moins d'un mois plus tard, le 10 juillet, ils sont rejoints par les compositeurs et les quatre organistes de la Chapelle royale – Lebègue, Nivers, Buterne et... Couperin. La Ménestrandise dépose alors en 1694 une «requeste d'intervention» : elle perd son procès. L'année suivante, organistes et clavecinistes sont affranchis de cette tutelle.

Au moment où le compositeur s'associe aux organistes du roi, il n'en possède pas encore le titre.

Évoquant avec férocité la Ménestrandise, *Les Fastes de la grande, et anciénne Mxnxstrxndxsx*, du *Second Livre* (ci-dessus), ont peut-être été écrits lors du litige de 1693-1695. Cette sorte de parade féroce et grinçante est unique dans le répertoire du clavecin français.

Thomelin, malade, n'apparaît pas dans la querelle. Couperin le remplace-t-il déjà parfois pendant le quartier de janvier 1693 ? Son engagement dans cette affaire manifeste avant tout sa volonté d'obtenir une autonomie artistique. Celle-ci est pourtant toute relative au Grand Siècle : car si les musiciens ne dépendent plus d'une corporation, à Versailles ils sont soumis à l'autorité suprême du Roi-Soleil.

Noble et chevalier

Des circonstances politiques vont donner à Couperin l'occasion de se démarquer davantage de la Ménestrandise

François Couperin, organiste de la Chapelle du Roi.

et d'affirmer l'importance qu'il a acquise. En 1696, les guerres victorieuses de Louis XIV ont coûté fort cher. Aussi a-t-on recours à un expédient pour renflouer les caisses du royaume : une suite d'édits permet l'anoblissement de personnes qui ont été distinguées pour leur mérite – il leur en coûtera vingt livres. Couperin est ainsi anobli, et avec lui ses confrères de la Musique du roi, séduits par cette possibilité de promotion : Lalande, Buterne, d'Anglebert fils, Beaumont, André et Jacques Danican Philidor. Son blason va ainsi figurer dans

D ans le *Supplément au détail des Armoiries* de décembre 1701 est représenté le blason du musicien (ci-dessus). « François Couperin, Organiste de la Chapelle du Roi. Porte d'Azur, a deux tridents d'argent, passés en sautoir, accosté de deux etoiles de meme et accompagné en chef d'un soleil d'or et en pointe d'une Lire de meme. »

C e portrait présumé de Couperin, anonyme, peut être daté des années 1695 (page de droite).

l'*Armorial des Généralités* que Charles d'Hozier,
le généalogiste du roi, a commencé à établir à partir
de l'année 1696.

Vers 1702, Couperin accède à une autre dignité :
le pape le fait chevalier de l'ordre de Latran, le
récompensant ainsi d'être un «serviteur passionné
de l'Italie» – selon l'expression de Le Cerf de
La Viéville. Le compositeur tire grand honneur
de cette distinction : il utilise plusieurs fois les
termes «Chevalier Couperin»
ou «Chevalier de
l'Ordre de
Latran», inscrits
aux côtés de sa
signature ou
imprimés sur les pages de titre
de ses œuvres. Ces marques de reconnaissance
permettent de mesurer l'estime dans laquelle il est
et désire être tenu.

« Le grade de
Chevalier, grade
personnel, et qu'on
ne transmet point à
ses descendants, étoit
réservé à ceux qui,
pour récompense de
leurs grandes actions,
en avoient été revêtus
par les Souverains
ou par des Chevaliers
commis de leur part
à cet effet», écrit
Charles d'Hozier
dans l'*Armorial des
Généralités*. Sur
son portrait officiel,
Couperin placera
en évidence, près
de lui, sa croix de
chevalier de l'ordre
de Latran (à gauche).

Démêlés avec Saint-Gervais

Par ses deux charges
d'organiste, par ses
leçons et ses concerts,
François Couperin a
acquis une réelle
aisance matérielle
– bien éloignée de la
situation précaire qui
fut celle de sa jeunesse.
L'achat de son
anoblissement le
prouve; de plus, en
1695, il paie la taxe la plus élevée demandée
aux organistes et aux professeurs de clavecin.

Le pont de la
Tournelle et
la porte Saint-Bernard
(ci-dessus) se situent
non loin des différents
appartements occupés
par le musicien au
cours de son existence.

Le 15 août 1697, le musicien propose aux
marguilliers de Saint-Gervais, qui connaissent
alors des difficultés financières, de quitter son
appartement de fonction rue du Pourtour-Saint-
Gervais, où il est logé gracieusement, afin qu'ils
puissent le louer. Il déménage ainsi rue Saint-
François. L'année suivante est toutefois marquée

par un différend avec la paroisse : elle ne verse plus à l'organiste que deux cents livres pour un an. En 1699, Couperin exige les sommes qui lui sont dues puis, en 1703, réclame la restitution de son logement à Saint-Gervais ainsi que des appointements d'un montant de quatre cents livres. Les marguilliers lui en promettent trois cents, et ainsi se clôt le litige. Pourtant, des retards de paiement surgiront bientôt : en 1714, l'organiste réclamera son salaire pour 1711 et 1712.

En 1693, Couperin (ci-dessous) offre aux marguilliers de Saint-Gervais, alors désargentés, de payer lui-même la somme de quinze livres par an pour rémunérer la personne qui viendra «souffler aux orgues».

Histoire de François Laurent, le fils disparu

A cette même période la famille Couperin s'agrandit. Une seconde fille, Marguerite Antoinette, voit le jour en 1705; elle tiendra une place importante à la cour. Puis vient en 1707 un second fils, Nicolas Louis, qui meurt en bas âge. Quant à François Laurent, l'autre fils, son aventure est singulière. L'inventaire après décès de François Couperin, en 1733, mentionne un fils disparu «depuis vingt ans ou environ». Le testament de son épouse Marie Anne Ansault apporte davantage d'informations : «Environ deux ans apres le décès dudit Couperin père, ledit Sr Couperin fils se representa en fort mauvais etat au point qu'il n'etoit point reconnoissable. [...] laditte dame Veuve Couperin fit tout ce qui etoit en elle pour engager ledit S^r son fils a rester aupres d'elle et tout son possible pour luy procurer un employ honnete, mais son inclinaison en ayant autrement décidé, il jugea a propos de quitter de nouveau le pays.»

La disparition de ce fils, advenue vers 1713, est quelque peu mystérieuse dans un foyer tel que celui des Couperin, où le sentiment de la famille semble avoir été fort. Peut-être a-t-elle une répercussion sur la santé du musicien qui, justement en cette année 1713, à l'âge de quarante-cinq ans, évoquera

Quand il quitte son appartement de la rue du Pourtour-Saint-Gervais en 1697, Couperin demande à la paroisse l'autorisation de conserver une chambre, «qu'il se réservera pour s'y retirer lors qu'il viendra pour le service de l'église».

plusieurs maladies dans son *Premier Livre* de pièces de clavecin.

A Saint-Germain-en-Laye et à Paris

Le 27 mars 1710, Couperin loue pour six ans à Pierre Huguenet, violoniste du roi, une maison «scize a Saint Germain en laie rue des Urselines, vis a vis l'hostel de Louvois» – non loin du château où s'est établie la cour des Stuarts, monarques férus de musique italienne. Une pièce de clavecin du *Premier Livre* s'intitule *Les plaisirs de Saint Germain en Laÿe*. Puis, à Paris, Couperin déménage vers 1713 de la rue Saint-François et s'installe rue Saint-Honoré, près du Palais-Royal.

L'année suivante, il est chargé d'inspecter les travaux entrepris par le facteur François Thierry sur l'orgue de Saint-Gervais afin de rendre l'instrument «parfaitement en estat de son goust». L'artisan y apporte une innovation importante : «L'orgue de St-Gervais estant un des meilleurs instrumens du Royaume en ce qu'il contient et cependant il se trouve manquer d'un jeu de Trompette de Récit qui

Il est aisé d'établir une sorte de géographie «couperinienne» de l'Ile-de-France que le musicien semble n'avoir jamais quittée : de la petite terre qu'il possède dans la Brie et de l'église Saint-Gervais à Paris jusqu'aux châteaux de Versailles, de Sceaux et de Saint-Maur, et jusqu'aux abbayes de Longchamp puis de Maubuisson. Quant à certaines pièces de clavecin, elles évoquent les lieux qu'il a aimés : des *Plaisirs de Saint Germain en Laÿe* (ci-dessous), des *Musètes de Choisi* et *de Taverny* aux *Petites Chrémières de Bagnolet*. Mais où se trouvaient donc *Les Bergeries*, *Les Vergers fleüris* et *Les petits Moulins à Vent*?

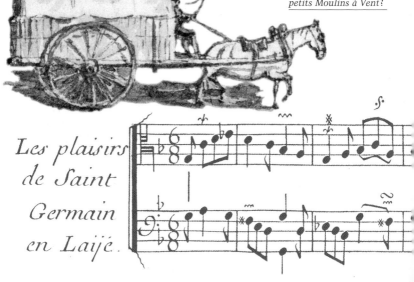

Les plaisirs de Saint Germain en Laÿé.

se trouve dans tous les Orgues modernes et est l'un des plus utiles et des plus agréables et nécessairement il faudra y en faire adjouter un, et pour placer ce jeu oster la flutte du Grand Orgue qui n'est point utile.» Couperin demande ensuite de supprimer les volets du buffet de l'orgue, «inutilles et mesme domageables par leur grand poids».

A Versailles : l'hommage du roi et des musiciens

Le compositeur partage son temps entre Paris et Versailles où il jouit toujours des faveurs du roi. Presque tous les dimanches de 1714 et de 1715, Louis XIV le fait jouer dans de «petits Concerts de chambre» pour lesquels Couperin écrit les *Concerts*

Résidence royale, Saint-Germain-en-Laye (ci-dessus, avec son église) a été un lieu de séjour pour les musiciens. Au moment où les Stuarts, en exil, y demeurent, les locations de maisons situées aux alentours sont d'un bon rendement. Ainsi, comme le violoniste Pierre Huguenet, le chantre Louis Fernon y loue sa demeure en 1709. Excepté les contacts probables que Couperin a noués avec la cour des Stuarts, sans doute la fragilité de sa santé a-t-elle conduit le compositeur à quitter parfois sa rue Saint-François à Paris pour venir goûter l'air de la campagne.

Royaux, publiés en 1722. Signe de reconnaissance du monarque, il se voit attribuer en 1714 une pension de huit cents livres.

Z Ephire

D'autres marques de gratitude et d'admiration proviennent de musiciens. Michel Pignolet de Montéclair, chargé de l'éducation musicale des filles de Couperin, lui dédie en 1709 sa *Nouvelle Méthode pour apprendre la Musique*; Nicolas Siret, qui s'honore de son amitié depuis plus de vingt ans, lui offre vers 1710 son

Une grande partie de la musique vocale profane de Couperin se trouve dans les recueils d'*Airs serieux et a boire, de differents autheurs*, publiés par les Ballard chaque mois, dès 1694, pendant trente ans. *Zephire, modère en ces lieux* paraît en décembre 1711 (à gauche, Zéphyr, une personnification du vent).

❝L'Air se dit en musique d'une conduitte de la voix, ou des autres sons par de certains intervalles naturels ou artificiels qui frappent agreablement l'oreille, et qui témoignent de la joye, de la tristesse, ou de quelque autre passion.**❞**
Antoine Furetière, «Air», *Dictionnaire Universel*, La Haye, 1690

Premier Livre de clavecin : «Je quitte tous les ans la Province pour venir icy vous admirer, et je n'en sors jamais que je n'aye l'imagination remplie de mille belles choses; quel plus parfait modelle aurois-je pû prendre?» Antoine Dornel intitule en 1711 sa deuxième sonate pour violon et basse continue *La Couprin*. En 1714, le jeune Antoine Calvière postule pour l'orgue de la Chapelle royale. Il n'est pas reçu; Dagincour, plus âgé, lui est préféré. Membre du jury, Couperin lui demande, pour l'encourager et le consoler, où il a appris cette belle manière de jouer : «sous l'Orgue de Saint-Gervais», répond Calvière.

Zephire, modère en ces lieux (ci-dessous) est une «brunette», un petit air d'origine parfois populaire. Celle-ci est l'une des rares pièces à variations du compositeur, hormis celles de ses *Livres* de clavecin. L'indication «Tendrement» placée au début de la pièce est de celles que Couperin a le plus

Du profane au sacré : la beauté de la voix

En marge de ses activités officielles, Couperin compose un ensemble important d'œuvres vocales profanes; la plupart sont publiées entre 1697 et 1712 dans des recueils collectifs. Elles relèvent du genre de l'«air sérieux», sur un texte galant ou champêtre (*Zephire, modère en ces lieux* de 1711), et à celui de l'«air à boire», plus divertissant (*Jean s'en alla, epitaphe d'un paresseux* de 1706, sur un texte de La Fontaine). Quatorze chansons et un canon – deux étaient déjà connus – viennent aujourd'hui d'être découverts, mais des cantates citées par Titon du Tillet restent perdues. L'une d'elles, *Ariane abandonnée*, figure dans un catalogue d'Amsterdam en 1716.

employées. L'*Epitaphe d'un paresseux* de La Fontaine a aussi retenu l'attention du musicien qui en fait un duo humoristique pour soprano, basse et basse continue : «Jean s'en alla comme il étoit venu, Mangea le fond avec le revenu, Tint les trésors chose peu necessaire; Quant à son temps, bien le sçut dispenser : Deux parts en fit, dont il souloit passer L'une à dormir et l'autre à ne rien faire.»

QUATRE
D'UN MOT

Hormis les trois *Leçons de Tenébres*, la beauté
de la musique vocale sacrée de Couperin a trop
longtemps été masquée par la renommée de sa
musique instrumentale. Le seul motet manuscrit
qui peut être daté se trouve dans un recueil compilé
par Philidor en 1697. Un *Motet de Sainte Suzanne*
est copié par Sébastien de Brossard ou par l'un
de ses disciples; un manuscrit de treize motets,
Eleva[tions] de Couperin, est conservé à Versailles;
un autre, appartenant à la collection du comte de
Toulouse, regroupe une partition de quatre motets
et cinq cahiers de parties séparées de vingt-cinq
motets, dont onze sont communs à ceux
de Versailles. Christophe Ballard édite *Quatre
Versets d'un motet composé et chanté par ordre
du Roy* en 1703, *Sept Versets* en 1704 puis
Sept Versets en 1705. Entre 1713 et 1717 paraissent
les *Leçons de Tenébres A une et a deux Voix* pour
le mercredi saint.

L'ensemble de cette musique semble avoir été écrit
pendant le règne de Louis XIV. Selon Titon du Tillet,
le compositeur «a fait encore [...] une grande quantité
de Motets, dont douze à grand Chœur ont été chantés
à la Chapelle du Roi devant Louis XIV qui en fut
très satisfait, de même que toute la Cour». Hélas,
ces douze motets à grand chœur sont perdus;
par leur effectif important, ils auraient modifié
la perception que nous avons aujourd'hui de
la musique sacrée de Couperin.

De «petits motets» pour l'élévation

Excepté les motets à grand chœur, Couperin
s'exprime dans un genre caractéristique de la fin
du XVIIᵉ siècle français : le «petit motet», petit par
sa durée comme par son instrumentation – une à

Aux *Quatre Versets*
publiés en 1703
(ci-dessus) est ajouté
le verset chanté en
1702 par la cousine
de Couperin pour sa
réception à la cour.
Excepté les *Versets*
de 1703, 1704 et 1705
et les *Leçons de
Tenébres*, la musique
vocale sacrée de
François Couperin
se trouve dans
des collections
manuscrites – comme
cela est souvent le cas
à l'époque. André
Danican Philidor,
qui devient
bibliothécaire du roi
à partir de 1684, est
à l'origine de l'une
de ces compilations
de musique sacrée
du Grand Siècle.
Il a ainsi permis la
conservation d'une
grande partie de ce
répertoire.

VERSETS

ET trois voix solistes, basse continue et parfois un ou deux dessus. Dans la préface de son recueil de cantiques pour la Chapelle du roi, *Cantica pro Capella Regis* (1665), Pierre Perrin signale que, lors de la *Messe du Roy*, « l'on chante d'ordinaire trois [motets], un grand,

L'heure de la messe du roi s'est modifiée au cours du règne de Louis XIV (à gauche, une tribune de musiciens). A Versailles, après 1684, le marquis de Dangeau et le duc de Saint-Simon signalent qu'elle a lieu entre dix et onze heures du matin. Un certain Monnier, en visite au château, écrit le 23 mars 1699 : « Pendant tout le temps que dura la Messe du Roy on entendit un concert de voix, de violons, de hautbois, de flûtes douces qui souvent causent des distractions ; mais à mon égard (cecy soit dit, s'il vous plait, sans soubçon d'hypocrisie) ils ne servirent qu'à m'élever le cœur vers Dieu. » Sous l'influence de Mme de Maintenon, la piété du Roi-Soleil s'accroît, le conduisant à assister de plus en plus, outre à la messe quotidienne, aux vêpres, aux saluts et aux sermons – lui qui ordonne, selon le témoignage de Dangeau, qu'on l'avertisse « de tous ceux qui causeroient à la messe ».

un petit pour l'élévation et un *Domine salvum fac Regem* ». Le petit motet devient alors synonyme d'« élévation », ce que confirment de nombreuses sources contemporaines, indiquant *Petits Motets* ou *Elévations*.

Les paroles latines des motets de François Couperin possèdent plusieurs origines : tout d'abord la Bible – le compositeur ne retient que certains versets de psaumes d'un caractère souvent élégiaque et intime –, ensuite les écrits liturgiques utilisés depuis plusieurs siècles, et enfin les textes «paraliturgiques» rédigés du temps du compositeur. Ainsi, l'auteur des textes de douze des motets a été identifié : Pierre Portes, qui résidait en 1685 rue de l'Arbre-Sec, près de Saint-Gervais, publia cette année-là un recueil de cent cantiques composés en latin «exprés pour être mis en Musique». Représentatifs de la piété de la fin du Grand Siècle, ils font apparaître des sections spectaculaires et soudaines – connues en rhétorique sous le nom d'«oraisons jaculatoires» –, qui alternent avec d'autres, plus sobres.

Si les *Versets* de 1703, 1704 et 1705 ont été chantés à la cour, à quels autres lieux Couperin destine-t-il ses motets? A Versailles certes, mais sans doute aussi aux châteaux de Saint-Maur, Sceaux, et Saint-Germain-en-Laye, aux abbayes de Maubuisson et de Longchamp et, à Paris, aux églises Saint-Gervais et Saint-André-des-Arts.

Chanter et prier pendant la nuit

Les *Leçons de Ténèbres* pour le mercredi saint sont vraisemblablement la dernière œuvre de musique religieuse du compositeur tant elles révèlent une haute maîtrise d'écriture. Les offices de Ténèbres sont destinés aux matines de la semaine sainte. Pour une plus grande commodité d'horaire, ces matines avaient été avancées à la fin de l'après-midi du jour précédent. Ainsi les *Leçons* du mercredi saint sont-elles en réalité celles des matines du jeudi saint. Les chants et les prières qui les constituent sont récités

C'est à l'abbaye de Longchamp (ci-dessus) qu'ont été chantées les trois *Leçons de Ténébres pour le Vendredy Saint*, aujourd'hui perdues. Dans l'*Avertissement* aux trois *Leçons* du *Mercredy* (ci-dessous), François Couperin écrit qu'il fera paraître «les six autres trois à trois si le Public est content de celles cy». Ces «six autres» ne paraîtront jamais. L'un des recueils les plus splendides de l'auteur n'aurait-il pas remporté le succès espéré?

LEÇONS DE TÉNÉBRES

A une et a deux Voix

Par Mr Couperin Compositeur= Organiste de la Chapelle du Roy.

alors qu'il fait encore jour et se prolongent jusqu'à la nuit. Peu à peu on éteint les chandelles, et la lumière laisse place à l'obscurité.

Les *Leçons de Ténébres* se fondent sur le récit biblique des Lamentations de Jérémie qui déplore la destruction de Jérusalem. Chez Couperin ou Lalande, chaque verset est introduit par une vocalise sur une lettre de l'alphabet hébraïque, conservée dans la version latine du texte – comme pour y ajouter un élément de mystère ou d'ésotérisme et en augmenter la beauté. Le chant de l'«Incipit Lamentatio Jeremia Prophetae», placé en ouverture, et celui des lettres hébraïques commencent par une référence au plain-chant suivie de longs mélismes – plusieurs notes pour une seule syllabe. Chaque *Leçon* s'achève avec le «Jerusalem, convertere ad Dominum Deum tuum.»

Unir les grâces aux artifices

Les *Leçons* du mercredi de Couperin n'ont pas été écrites pour les «Dames religieuses de L**» (Longchamp), comme on le croit souvent. «Je composai il y a quelques Années trois Leçons de Ténèbres pour le Vendredy Saint, a la prière des Dames Religieuses de L** ou elles furent chantées avec succez, raconte le musicien au début de son volume. Cela m'a determiné depuis quelques mois a composer celles du Mercredy, et du Jeudy : cependant je ne donne a present que les trois du premier jour.» Les six *Leçons* pour les jeudi et vendredi saints n'ont toujours pas été retrouvées.

"Ainsi commencent les Lamentations du Prophète Jérémie : / ALEPH / Hélas! comme elle est assise solitaire, la cité naguère si populeuse! Elle, si puissante parmi les peuples est devenue comme veuve, et la reine des provinces a été rendue tributaire! / BETH / Elle pleure amèrement dans la nuit, les larmes inondent ses joues; personne ne la console de tous ceux qui l'aimaient; tous ses amis l'ont trahie, se sont changés pour elle en ennemis.**"**

Début des Lamentations de Jérémie, traduit du latin, avec les premières lettres hébraïques ALEPH et BETH, *Première Leçon Pour Le Mercredy*

Si dans ses premières sonates Couperin établissait déjà une relation entre musique italienne et musique française, il semble opérer dans son œuvre sacré une «fusion des gousts» plus manifeste et plus consciente encore. Dans ses motets ou ses *Leçons de Tenébres*, il mêle ainsi les grâces et les «agrémens» du chant français aux artifices du chant italien, faits de retards harmoniques, de dissonances, de chromatismes et de rythmes syncopés.

Entre deux siècles

La mort de Louis XIV en 1715 marque la fin du XVIIe siècle. Elle clôt aussi une période dans la carrière du compositeur. Le Couperin du Grand Siècle, qui se consacrait plus aux œuvres religieuses qu'aux œuvres profanes, cède la place au Couperin des Lumières, qui se concentre sur sa musique instrumentale, sur sa signification et son rôle dans l'esthétique française. Aboutissement d'un art sacré bientôt révolu, les *Leçons de Tenébres* sont la fin du XVIIe siècle. Bien qu'il soit publié deux ans avant la mort du roi, Le *Premier Livre* de pièces de clavecin inaugure une nouvelle manière pour l'instrument : il ouvre le XVIIIe siècle.

Telle «une chandelle qui s'éteint», Louis XIV meurt dans sa Grande Chambre le 1er septembre 1715, à huit heures et quart du matin. Le Grand Siècle se tait et, avec lui, comme anéanti, le château de Versailles. Celui-ci ne renaîtra qu'au siècle des Lumières (ci-dessous, dans *L'Enseigne de Gersaint* de Watteau, datant de 1720-1721, un portrait du Roi-Soleil est mis en caisse).

« **P**ar les recherches dont
j'ay appuyé le peu de naturel
que le ciel m'a donné, je vais tâcher
de faire comprendre par quelles raisons
j'ay sçu acquerir le bonheur de toucher
les personnes de goût qui m'ont fait
l'honneur de m'entendre; et de
former des éléves qui peut-estre,
me surpassent. »

François Couperin

CHAPITRE III
TOUCHER LE CLAVECIN

François Couperin possédait à son domicile en 1733, soit l'année de sa mort, un grand clavecin à deux claviers dû à Nicolas Blanchet, mort en 1731, ou peut-être à son fils François Etienne Ier (à droite, la rosace de l'un des très rares instruments de Nicolas Blanchet conservés aujourd'hui). Les Blanchet comptent parmi les dynasties les plus prestigieuses de facteurs parisiens du XVIIe et du XVIIIe siècle.

PIECES ⌀ DE
CLAVECIN

«Je n'y ay épargné n'y la dépence, n'y mes peines» :
ainsi s'exprime François Couperin en 1713 à propos
de ses *Pieces de Clavecin. Premier Livre*, la première
publication importante que le compositeur consacre
à l'instrument. Elles constituent une innovation dans
le répertoire du clavecin au début du XVIIIe siècle.
En effet, jusqu'alors, les musiciens écrivaient
des séries de danses, en général appelées «Suites».
Couperin va leur préférer des ensembles de pièces
qu'il nomme «Ordres».

François Couperin
a publié vingt-sept
«Ordres» pour le
clavecin : cinq dans

Créer un «Ordre françois»

Le terme «ordre» peut être
compris comme une sorte
d'équivalent du mot utilisé
en architecture. Colbert avait
souhaité établir un «Ordre
françois» se fondant sur le
modèle des Antiques. Un

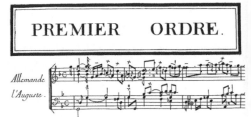

projet magnifique fut conçu par Charles Le Brun et
gravé en 1685 – mais il n'aboutit pas et l'idée fut
abandonnée. Le rapprochement entre la conception
de cet «Ordre françois» et l'élaboration d'un Ordre
musical n'est pas sans importance. Car toutes deux
témoignent du même désir de créer un langage
artistique national, désir qui semble être celui
des musiciens présents à la cour de Louis XIV
puis à celle de Louis XV.

le *Premier Livre*
(ci-dessus, le début
du Premier Ordre),
sept dans le *Second*
et dans le *Troisième*,
enfin huit dans le
Quatrième. Il est
curieux de constater
que, à l'instar de
l'«Ordre françois»
en architecture, l'Ordre
de clavecin sera très peu
utilisé au XVIIIe siècle
après Couperin,
excepté par François
Dagincour en 1733,
par Philippe Véras en
1740 et par Coelestin
Harst en 1745.

En France, l'«ordre» fait son entrée dans
le vocabulaire de la musique, puisant son origine
dans l'Italie du XVIIe siècle : ainsi, en 1693, Giovanni
Battista Brevi emploie le mot *ordine* pour ses
Sonate da camera. Pourquoi Couperin use-t-il de
cette terminologie ? Au début du XVIIIe siècle, la suite

de danses, un genre musical considéré comme français, a été adoptée dans toute l'Europe par nombre de compositeurs. Aussi a-t-elle un peu perdu son identité nationale. Avec son *Premier Livre* de clavecin Couperin cherche-t-il à inventer une sorte de suite plus française que la suite elle-même? L'«Ordre», qui place aux côtés des danses des pièces de caractère, portant chacune un titre, répond à cette aspiration.

Si l'emploi de titres n'est pas nouveau dans la musique instrumentale européenne, François Couperin est, en France, celui qui va en généraliser l'usage. Le raffinement de ces titres, la justesse des indications d'interprétation dont ils sont suivis révèlent un sens du verbe fort peu commun chez un musicien. C'est pourquoi, dans *L'Art de toucher le Clavecin*, le compositeur souhaite «que quelqu'un se donne la peine de nous traduire, pour l'utilité des étrangers; et puisse leur procurer les moyens de juger de l'éxèlence de notre Musique instrumentale».

Avant la parution du *Premier Livre*, quelques pièces pour clavecin de Couperin ont été publiées par Christophe Ballard en 1707 dans une anthologie intitulée *Pieces choisies pour le clavecin, de differents auteurs*. Mais c'est ce *Premier Livre* du musicien ainsi que les trois suivants qui semblent à la fois impressionner ses confrères et retenir l'attention des amateurs (à gauche, une jeune claveciniste). Tandis qu'un grand nombre de recueils de clavecin voient le jour au début du XVIIIe siècle, seuls paraissent, entre 1713 et la mort de Couperin vingt ans plus tard, ceux dus à Nicolas Siret (*Second Livre*, 1719), à Jean-François Dandrieu (*Premier Livre* et *Second Livre*, 1724 et 1728) et surtout à Jean-Philippe Rameau (*Pieces de Clavessin*, 1724 et *Nouvelles Suites de Pieces de Clavecin*, vers 1728). Ce dernier se consacre au clavecin avant de composer ses grands ouvrages lyriques. Fort différentes de celles de Couperin, ses pièces de clavecin s'apparentent souvent à des sortes de «maquettes» d'opéras; Rameau les transformera parfois pour la scène.

L'agrément du clavecin

Le clavecin est
«le soutien
et l'honneur de
la musique», déclare
Michel Corrette
en 1753. Facteurs
et décorateurs
rivalisent d'adresse
et de talent pour créer
des instruments
somptueux (à gauche,
clavecin de Nicolas
Dumont, 1697, et de
Pascal Taskin, 1789;
au centre, détail de
la caisse du clavecin
de Jean-Claude Goujon,
avant 1749, et de
Jacques Joachim
Swanen, 1784;
à droite, clavecin
de Pierre Bellot, 1729).
Plus que d'autres
compositeurs encore,
François Couperin sait
à merveille mettre en
valeur dans ses pièces
la beauté sonore de
ces instruments.
Il écoute son clavecin
comme un orateur
sa voix : si ce dernier
donne des accents
à certains mots de son
discours afin d'en
renforcer l'effet,
Couperin, quant à lui,
utilise des agréments
– séries de notes jouées
rapidement – pour
souligner l'importance
de certains passages de
sa mélodie. A l'instar
de ses prédécesseurs
parisiens, il établit
une table des
«agrémens» (double
page suivante), qui
explique à l'interprète
comment ils doivent
être joués.

Explication des Agrémens, et des Signes.

75.

Former son jeu
sur le bon goût d'aujourd'hui

Quatre des cinq Ordres du *Premier Livre*
de clavecin possèdent deux parties
distinctes : la première réunit des danses
et pourrait se nommer «Suite»,
la seconde rassemble des pièces de
caractère dont l'origine chorégraphique
est moins marquée. Dans les *Livres*
suivants, Couperin abandonnera souvent
la première partie pour ne laisser qu'une
majorité de pièces de caractère
– même si certaines d'entre
elles restent des danses, mais
dissimulées par un titre.

L'art de Couperin se
situe ainsi entre deux
époques. S'il réunit des
goûts dans son *Premier
Livre*, il s'agit avant tout
de ceux du XVIIe et du
XVIIIe siècle – plutôt que des
goûts français et italien. Les
danses et les pièces de caractère
y assemblent deux siècles de
musique et non deux pays. Pourtant, quelle
ambiguïté dans cette union! En 1713, Couperin
déclare que les ouvrages de ses ancêtres «sont encore
du goût de ceux qui l'ont exquis». Trois ans plus
tard, dans *L'Art de toucher le Clavecin*, il conseille
de «former son jeu sur le bon goût d'aujourd'huy, qui
est sans comparaison plus pur que l'ancien». Ainsi, le
Premier Livre est riche d'influences et de nouveautés,
témoignant de ce souhait d'une impossible entente
entre vestale et voleur de feu. A lui seul, il symbolise
la Régence du clavecin français.

L e Régent est
très musicien
(ci-dessus). «Il a
composé deux
ou trois opéras
qui sont tous
fort jolis»,
écrit sa mère,
la princesse
Palatine, qui
n'entend rien
à la musique et qui
s'étonne que son fils
puisse en parler des
heures entières avec
la princesse de Conti...
A Paris, le Régent est
installé au Palais-Royal
tandis que Louix XV
est aux Tuileries
(ci-contre).

Le Régent abandonne Versailles

Si la mort du Roi-Soleil, le 1er septembre 1715,
a marqué la fin d'un siècle – et la fin d'une époque
pour Couperin –, elle correspond aussi au départ de
la cour. Car le Régent Philippe d'Orléans n'aime

pas Versailles et lui préfère d'autres lieux. Le
9 septembre, le jeune Louis XV quitte le château
pour celui de Vincennes, puis en décembre il gagne
les Tuileries; il ne reviendra définitivement à
Versailles qu'en 1722.

Quelle a été l'activité de Couperin, organiste de
la Chapelle, pendant cette période? Les comptes
de la Maison du roi signalent qu'il continue à
toucher en 1716 et en 1717 ses appointements
annuels; en 1717, il obtient même un supplément
de trois cent cinquante livres pour sa «nourriture et
entretenement». Aucun texte n'évoque sa présence
à Versailles ou ailleurs pendant le quartier de janvier.
Peut-être assure-t-il auprès du roi un service religieux
aux Tuileries.

Le compositeur passe désormais beaucoup de
temps à Paris. En 1716, il quitte la rue Saint-Honoré
pour le «coin de la rüe des foureurs vis a vis les
Carneaux». L'année suivante, il s'installe «rüe
de Poitou, au Marais». En 1718, sa fille aînée
Marie-Madeleine choisit d'entrer dans les ordres.
Le 28 septembre, Couperin obtient du roi – en réalité
du Régent – que la pension de huit cents livres qu'il
a reçue de feu Louis XIV en 1714 soit répartie entre
son épouse et sa fille aînée, pour «la mettre
en estat d'accomplir le dessein qu'elle a de se
faire religieuse». A l'abbaye de Maubuisson,

L'abbaye royale de Maubuisson (ci-dessous), située près de Pontoise, a été fondée par Blanche de Castille. La fille de Couperin, Marie-Madeleine, y entre pour devenir religieuse de chœur. Les «sœurs de chœur» participent aux offices et ont la possibilité de devenir officières, c'est-à-dire chargées d'une dignité, à la différence des «sœurs converses» auxquelles sont confiés les soins domestiques de l'abbaye.

*Survivance?
De la chambre du*

Marie-Madeleine est connue comme Marie Cécile. Devient-elle organiste de ce lieu? Le petit orgue acquis en 1654 est remplacé peu avant sa venue en 1716 par un bel instrument neuf.

Adulé mais sombre

A cette époque, la reconnaissance publique de Couperin s'accroît. Le flûtiste François Chauvon lui dédicace en 1717 ses *Tibiades*, tirant gloire d'avoir été l'élève d'un si grand maître. Dans le *Second Livre de pièces de viole* de Louis de Caix d'Hervelois, publié en 1719, figure *La Couprin*.

Malgré les honneurs qui lui sont rendus, une humeur triste transparaît dans les textes du musicien. Son mauvais état de santé n'est pas seul en cause. La perte de son père à l'âge de onze ans, de sa mère à vingt et un ans, la mort de l'un de ses fils, la disparition de l'autre sont autant de souffrances qui peu à peu ont assombri sa vie. Enfin, ses espérances professionnelles vont être déçues : il ne parviendra

D'Anglebert (ci-dessus) a écrit plus de cent pièces de clavecin et d'orgue, dont des transcriptions d'œuvres de Lully.

pas à être le titulaire de la charge d'«Ordinaire de la Musique de la Chambre du Roy pour le Clavecin», qui représente alors la plus haute fonction à laquelle peut prétendre un claveciniste français.

Ioiieur de Clauecin delamusique loy pour les.e Couperin

Les clavecinistes du roi

Soixante années auparavant, Louis Couperin avait noblement refusé de prendre la place de Jacques Champion de Chambonnières, alors claveciniste du roi. Après ce dernier, Jean Henry d'Anglebert en fut titulaire, et après lui son fils Jean-Baptiste Henry. Celui-ci conserve cet emploi jusqu'à sa mort, vers 1735. Mais sa mauvaise vue l'empêche de travailler. De sept ans son cadet, François Couperin le remplace souvent pour les concerts et les leçons donnés à la cour; pour 1716, il touche ainsi six cents livres d'appointements comme suppléant de d'Anglebert.

Le 5 mars 1717, Couperin obtient brillamment la survivance de cette charge, c'est-à-dire le droit d'en être titulaire à la mort du fils de d'Anglebert : «Sa Majesté a eü agreable la tres humble suplication qu'il luy a faite d'accorder la survivance de sa charge a François Couperin, l'un des organistes de sa chapelle, a quoy Sa Majesté a d'autant plus volontiers consenty, qu'elle est informée qu'il n'y a personne qui puisse la remplir avec tant de capacité que luy.» Et quand, en 1730, il sentira ses forces décliner, il transmettra cette survivance à sa fille Marguerite Antoinette, et n'en sera jamais titulaire.

Ainsi, le plus grand comme le plus applaudi de tous les clavecinistes français du XVIIIe siècle n'a pu obtenir l'officialisation d'une activité qui, sur le plan artistique, lui revenait de droit.

Le claveciniste est l'instrumentiste le plus important de la musique de la Chambre du roi. Il doit participer à de nombreuses manifestations musicales, qu'elles soient lyriques, chorégraphiques, avec grand ou petit ensemble, qu'elles soient profanes ou parfois même sacrées. En outre, il a aussi très souvent pour mission d'enseigner le clavecin aux princes. Malgré les multiples activités qui correspondent à cette charge, le roi ne nomme qu'un claveciniste pour la Chambre alors qu'il choisit quatre organistes pour la Chapelle. Toutefois, il est probable qu'une seule personne ne peut assumer l'ensemble du travail. Les deux métiers étant alors très liés, les organistes nommés à la Chapelle touchent aussi parfois le clavecin dans les concerts.

Un admirateur : Johann Sebastian Bach

A la fin de l'année 1716 ou au début de 1717 est publié le *Second Livre* de clavecin. Un ton de puissance et de grandeur en émane. Si le *Premier Livre* associait, de manière ambiguë, la majesté

Les Moissonneurs, Le Gazoüillement, Les Bergeries, Le Moucheron... Telle est l'atmosphère champêtre, tout en raffinement,

Second Livre de
DE CLAVE

du Grand Siècle à la grâce et à la vivacité du siècle des Lumières, le *Second Livre* est aventureux, explorateur et curieux. Il présente certaines des pièces les plus connues du compositeur : *Les Fastes de la grande, et anciénne Mxnxstrxndxsx* – il faut lire Ménestrandise... – et *Les Baricades Mistérieuses*, conçues dans le «style luthé». Ici, les notes tenues créent une sorte d'«impressionnisme» sonore et mettent en valeur la résonance de l'instrument. Sans en être véritablement l'inventeur, Couperin porte cette écriture à son plus haut point poétique.

Sans doute ce *Livre* est-il alors connu par Bach. *Les Bergeries* figurent sans nom d'auteur dans le *Notenbüchlein* d'Anna Magdalena Bach (1725). Des similitudes existent entre *La Raphaéle* de Couperin et l'*Ouverture nach französischer Art* (1735) du compositeur allemand, toutes deux

qui caractérise le Sixième Ordre au début du *Second Livre* de clavecin. Puis viennent dans le volume des pièces d'une grandeur audacieuse : la *Passacaille* du Huitième Ordre, à la violence peu habituelle chez Couperin, l'*Allemande à deux Clavecins* du Neuvième, aux sonorités munificentes, ou encore *La Triomphante* du Dixième, à l'humeur combative et farouche.

en *si* mineur : mêmes notes pointées et traits rapides, mêmes tessitures et harmonies.

Les deux musiciens ont-ils entretenu une correspondance? C'est ce qu'affirmera au XIXe siècle la mère du chanteur Alexandre Taskin – membre de la famille du facteur de clavecin Pascal Taskin –, alliée aux Couperin par sa mère. Les lettres se seraient perdues, racontera-t-elle, car «on s'en serait servi pour fermer des pots de confitures»… Quant à Camille Saint-Saëns, il signalera en avoir vu des fragments. Puisque Bach connaissait les œuvres de Couperin – mais on ne peut avancer l'inverse –, peut-être lui a-t-il adressé une ou plusieurs lettres; cette hypothèse ne saurait être entièrement écartée.

Un discours sur la méthode

Rédigé après quelque vingt années d'enseignement à Paris et à la cour, *L'Art de toucher le Clavecin* paraît en 1716 puis, révisé et augmenté, en 1717. Fort du succès remporté en France, dont témoignent les nombreuses rééditions tout au long du XVIIIe siècle, le renom de la méthode de Couperin dépasse les frontières. Friedrich Wilhelm Marpurg en fera l'éloge en 1749.

S'ouvrant par une belle dédicace à Louis XV – encore enfant – dans laquelle l'auteur espère que Sa Majesté pourra «dans quelques années» apprécier la qualité de son travail, l'ouvrage détaille la tenue au clavecin, la position des mains, la qualité du toucher et autres aspects indispensables à la maîtrise de l'instrument. Après l'explication des signes d'«agrémens» et des «petits exercices pour former les mains» figurent une allemande et huit préludes admirables. Ces œuvres courtes sont d'un apport fondamental pour les

❝La belle exécution [dépend] beaucoup plus de la Souplesse, et de la grande Liberté des doigts, que de la force [...]. La Douceur du Toucher dépend encore de tenir ses doigts le plus prés des touches qu'il est possible. Il est sensé de croire, (l'experience à part) qu'une main qui tombe de hault donne un coup plus sec, que sy elle touchoit de prés; et que la plume tire un son plus dur de la corde. [...] Il faut surtout se rendre tres dèlicat en claviers; et avoir toujours un instrument bien emplumé. Je comprens cependant qu'il y a des gens à qui cela peut estre indifférent; parcequ'ils joüent ègalement mal sur quelqu'instrument que ce soit.❞

François Couperin, *L'Art de toucher le Clavecin*, 1717

clavecinistes, au même titre que
les trente *Inventionen* & *Sinfonien*
de Bach (1723).

D'aucuns considèrent
aujourd'hui le plan et le style
du volume confus, les conseils
pédagogiques étant dispensés pêle-
mêle. *L'Art de toucher le Clavecin*
est pourtant un texte pensé
par l'un des plus grands artistes
de l'histoire de la musique et,
de surcroît, par celui qui fut le
plus grand professeur de clavecin
en France. La magnifique cohésion
réalisée entre les réflexions
pratiques et théoriques témoigne
d'un discours de la méthode hautement inspiré.

Louis XV est vêtu
en «pèlerin pour
Cythère» (ci-dessus);
c'est l'époque où
Couperin publie
Le Carillon de Cithère
dans le *Troisiéme Livre.*

Louis XV est de retour à Versailles

Bientôt Couperin va recouvrer ses fonctions
d'organiste à Versailles. Car Louis XV et la cour
sont de retour le 15 juin 1722. Dès le mois d'avril,
des «réparations extraordinaires» ont été entreprises
pour remettre en état le château. L'avocat Barbier
a relaté comment le monarque retrouva avec émotion
les lieux de sa première enfance, courant de
la Chapelle au parc et du Grand Appartement à la
Grande Galerie. Dès la fin de l'année 1724, excepté
quelques voyages, Louis XV quitte peu Versailles.

Sans avoir la passion de son arrière-grand-père
pour la musique, le roi possède toutefois, selon Titon
du Tillet, un «goût naturel pour les Arts». Quelques
mois avant sa mort, Louis XIV lui choisit un
professeur de danse, et Jean-Baptiste Matho lui
enseigne les rudiments de la musique. Son épouse
Marie Leczinska le rapprochera enfin de cet art
dont ils transmettront le goût à leurs filles.

«Ne vous livrez plus tant au travail»

Sans doute l'organiste et professeur est-il de nouveau
à son poste dès janvier 1723. Il touche en 1725 deux
cents livres comme maître de clavecin de l'infante
d'Espagne, une élève qui promet beaucoup. Mais les

comptes rendus des concerts ne font plus apparaître
le nom de Couperin. Sa santé se détériore. Dans
les préfaces de ses *Livres*, il fait état de ses maux,
comme pour les extirper de lui-même. En 1722,
Antoine Grimaldi, le prince de Monaco, lui écrit :
«Conservez-vous, Monsieur, et ne vous livrez plus
tant au travail, puisque votre santé en souffre.»
Le musicien attend de ses amis et de sa famille
une attention particulière et une affection redoublée.
Même s'il évoque parfois un Argan de la musique,
force est de constater que ses souffrances physiques
sont lourdes à porter.

  Ses deux postes d'organiste deviennent trop
fatigants et lui volent ce temps précieux qu'il désire
consacrer à la composition. Le 12 décembre 1723,
il laisse à Nicolas Couperin, le fils de son oncle
François, la survivance de sa charge d'organiste
à Saint-Gervais – où Nicolas le remplace depuis
un certain temps. En 1722, celui-ci demande d'occuper
une chambre attenant à l'église. En 1724, Couperin
déménage une fois de plus et s'installe «au Coin
de la rue neuve des bons Enfans, proche la place des

Nombreuses sont
les œuvres pour
clavecin de Couperin
qui évoquent le parc
de Versailles
(ci-dessous, l'Île
royale). *Le point du
jour, Allemande* du
Vingt-deuxième Ordre
fait allusion à l'une des
statues du domaine ;
Les Gondoles de Délos
du Vingt-troisième
Ordre évoquent celles
offertes au Roi-Soleil
par la République de
Venise ; les gondoliers
logeaient dans «la
petite Venise», proche
du Grand Canal.
Et *Les Ondes* du
Cinquième Ordre
ne décrivent-elles
pas le «Théâtre d'eau»,
l'«Allée d'eau» ou
les «Berceaux d'eau» ?

Victoires», en face des écuries de l'hôtel
de Toulouse – aujourd'hui rue Radziwill –,
où il demeurera jusqu'à sa mort.

Le Troisième Livre : «tendrement, sans lenteur»

La production pour clavecin accroît encore
la renommée de Couperin. Le *Troisiéme Livre* paraît
en 1722. Il est le plus tendre de tous. Les «pièces
croisées», qui
doivent se jouer sur
les deux claviers du
clavecin, et celles

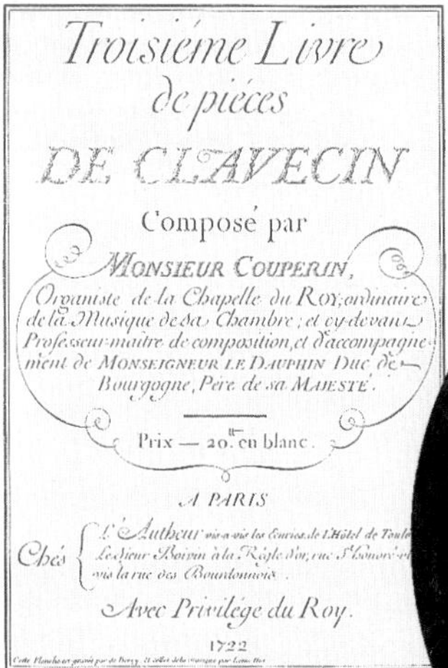

Troisiéme Livre
de piéces
DE CLAVECIN

Composé par

MONSIEUR COUPERIN,

Organiste de la Chapelle du Roy; ordinaire
de la Musique de sa Chambre ; et cy-devant
Professeur-maitre de composition, et d'accompagne-
ment de MONSEIGNEUR LE DAUPHIN Duc de
Bourgogne, Pére de sa MAIESTÉ.

Prix — 20.ᵗᵗ en blanc .

A PARIS

Chés { *L'Autheur vis à vis les Écuries de l'Hôtel de Toul...*
Le Sieur Boivin à la Régle d'or, rue S.Honoré
vis la rue des Boursduroix

Avec Privilege du Roy.

1722

avec une «contre-partie»
pour un second clavecin
ou un autre instrument,
enrichissent l'espace sonore.
Au début du recueil, *Les Lis naissans*
honorent Louis XV comme *L'Auguste* du
Premier Livre rendait gloire à son arrière-grand-père.

La Princesse de Chabeüil ou La Muse de Monaco
est un hommage à la fille d'Antoine Grimaldi, Marie
Péline, passionnée par le clavecin. C'est pour elle
que ce prince demande une pièce à Couperin :
«Ne croyez pas, lui écrit-il le 17 avril 1722, qu'elle
s'arrête aux pièces simplement gracieuses, enjouées
ou galantes. Il lui faut du grand, du sublime et même
du chromatique.» Déçu par l'œuvre composée qu'il
estime trop facile, il remercie le musicien en ces
termes : «Quand vous la jugerez digne de quelque

❝S'il ètoit question
d'opter entre
l'accompagnement,
et les Pièces, pour
porter l'un, ou l'autre
à la perfection, je sens
que l'amour-propre
me feroit prèfèrer
les Pièces à
l'accompagnement.
Je conviens que rien
n'est plus amusant
pour soi-même; et
ne nous lie plus avec
les autres que d'estre
bon-accompagnateur :
mais, quelle
injustice!

C'est le dernier
qu'on loüe dans les
concerts [ci-dessus,
un concert vocal et
instrumental]. Au lieu
que quelqu'un qui
excèle dans les pièces
joüit seul de
l'attention, et des
applaudissemens
de ses auditeurs.❞
François Couperin,
L'Art de toucher
le Clavecin, 1717

production plus sérieuse, nous la recevrons avec la même reconnoissance.» La jeune fille n'aura pas le temps de travailler le *Quatriéme Livre* et mourra à l'âge de dix-huit ans.

Le succès de ces pièces de clavecin se vérifie encore par les parodies qui voient le jour. Dans le *Troisiéme Livre* l'auteur évoque ces «quelques Poëtes fameux» qui lui font l'honneur de se prêter à des imitations. Ainsi, *Sœur Monique* est connue avant même sa publication comme une chanson grivoise et comme un cantique !

Dans les années 1720, le palais de Monaco (ci-dessus) résonne d'un clavecin que la princesse de Chabeüil travaille avec passion : elle prétend, écrit son père, que «son cher clavecin, quoi qu'il arrive, ne luy sera jamais indifférent : ma foy, elle a raison, elle y excelle».

Des concerts, et non des concertos

Ecrits à la fin du règne de Louis XIV, les *Concerts Royaux* sont publiés en 1722 à la suite du *Troisiéme Livre*. Ils appartiennent à un genre avant tout français et sont fort éloignés des premières sonates à l'italienne du compositeur. En France, l'acception du terme «concert» peut être comparée à celle du mot anglais *consort*, même si elle ne peut lui être assimilée. Le concert est toujours une œuvre pour plusieurs

«Le goût Italien et le goût François ont partagé depuis longtems (en France) la République de la Musique», écrit François Couperin au début des *Goûts-réünis*. Avant de «réünir» ces deux goûts, celui qui a été anobli à la fois par Versailles et par Rome cherche à comprendre et à définir leurs caractéristiques. Sa bibliothèque musicale comporte des ouvrages

Apollon, persuade Que la réünion des doit faire la

instruments, le plus souvent de familles différentes, qui dialoguent, qui concertent entre eux. Il n'obéit pas aux règles fixées par le *concerto* italien du XVIIIe siècle : la confrontation, l'opposition entre un ou plusieurs solistes et un orchestre. Couperin permet toute licence pour l'exécution de ses concerts, qui peuvent être joués «non seulement, au Clavecin; mais aussy au Violon, a la Flute, au Hautbois, a la Viole, et au Basson». La richesse des timbres revient alors aux interprètes et n'est pas imposée par le créateur. Cette libre participation au rendu sonore d'un concert en est l'un des traits les plus stimulants pour le musicien.

des maîtres des deux pays : des trios de Corelli et d'Albinoni, des motets de Bernier et sans doute des opéras de Lully. En outre, pour le Quatrième des *Concerts Royaux*, il compose une *Courante Françoise*, indiquée «Galament», qui est suivie d'une *Courante a l'italiéne*, indiquée «Gayement».

La musique française et ses apothéoses

Il existe chez Couperin un désir de mêler ce qui *a priori* ne peut l'être. Mêler les danses aux pièces de caractère, le XVIIe au XVIIIe siècle, Lully à Corelli, la France à l'Italie. Le musicien s'exprime à la fois sur le style des époques ou des nations comme sur la perception que l'on en a. Cela lui importe plus, semble-t-il, qu'à ses contemporains. Ses trois recueils de musique de chambre qui paraissent alors font figure de manifestes : *Les Goûts-réunis ou Nouveaux Concerts* sont édités avec *Le Parnasse, ou l'Apothéose de Corelli* en 1724, le *Concert instrumental* sous le titre d'*Apothéose composé à la mémoire immortelle de l'incomparable Monsieur de Lully* est publié en 1725 et *Les Nations* en 1726. Par les titres qu'il leur attribue, l'auteur proclame ainsi l'importance de leur signification artistique.

Le nom donné au premier de ces recueils vise «à marquer la diversité des Caracteres qu'on y trouvera rassemblés». Avec ces *Goûts-réunis*,

Couperin reconnaît en Lully (page de gauche) le symbole de la musique française et en Corelli (ci-dessous) celui de la musique italienne. Il est suivi par Jean-François Dandrieu qui, en 1728, rend hommage à ces auteurs dans deux pièces de clavecin : *La Lully*, écrite sur le modèle d'une ouverture d'opéra français, et *La Corelli*, écrite sur celui d'une sonate italienne.

Lulli, et Corelli, Goûts François et Italien perfection de la Musique.

Couperin entend reconnaître la qualité d'une œuvre «sans acceptation d'Auteurs, ny de Nation». Il veut témoigner de la plus grande neutralité et ne choisit pas entre style français et style italien.

Véritables musiques à programme, les deux *Apothéoses* racontent la venue au Parnasse de Corelli dans l'une et de Lully dans l'autre. A la fin de l'*Apothéose de Lully*, Apollon persuade ces deux musiciens «que la réünion des Goûts François et Italien doit faire la perfection de la Musique». La paix s'établit alors au Parnasse.

Dans *Les Nations* (ci-contre, les différentes nations de l'Europe peintes par Charles Le Brun pour le Grand Escalier à Versailles), François Couperin (page de droite) réutilise sa première sonate en trio, *La Pucelle*, écrite dans sa jeunesse, et la rebaptise *La Françoise*. Le musicien se rend-il compte que cette sonate composée à l'imitation de celles de Corelli est en fait plus française qu'il ne l'a cru ?

Le fils de Nicolas Couperin, Armand Louis, publiera en 1751 *Les quatre Nations*, qui terminent ses *Pieces de Clavecin* dédiées à Mme Victoire de France, l'une des filles de Louis XV. Les nations évoquées ici sont *l'Italienne*, *l'Angloise*, *l'Allemande* et *la Françoise*.

Quant aux *Nations*, elles fusionnent les goûts par leur organisation interne. Quatre Ordres pour deux dessus et basse continue présentent chacun une nation, *La Françoise*, *L'Espagnole*, *L'Impériale* et *La Piémontoise*. Ils sont divisés en deux parties : une *Sonade*, proche d'une sonate en trio à l'italienne, introduit une suite de danses, plus française.

Etre au-dessus de toutes louanges

Si Couperin a bien la volonté de réunir dans ses recueils les goûts français et italien, il ne semble pas les répartir de manière équitable. Il s'engage maintes fois en faveur de la musique française. Son vocabulaire est français ou francisé. A la sonate il préfère la «Sonade» : «on diroit dorénavant Sonade,

Cantade; ainsi qu'on prononce, ballade, Sérénade».
Et les *Apothéoses* qu'il consacre tantôt à Corelli
tantôt à Lully sont fort différentes... Lully est le
«plus grand homme en Musique, que le dernier
Siècle ait produit», ce qu'il a fait pour le théâtre
est «au dessus de toutes loüanges», et ses ouvrages
seront «toûjours plus admirables, qu'imitables».
A propos de Corelli, Couperin ne révèle-t-il pas un
peu moins d'enthousiasme? Il signale simplement
qu'il est «charmé» par ses œuvres et, s'il confie
qu'il les aimera tant qu'il vivra, il ajoute que
c'est également le cas des «Ouvrages-françois
de Monsieur de Lulli».

Se fondant sur le modèle illustre de Jean-Baptiste
Lully qui a façonné le style lyrique français,
Couperin cherche à créer un langage instrumental
national qui, à son tour, serait «au dessus de toutes
loüanges». Il associe des caractéristiques de son pays
à des traits propres à la musique italienne – présentée
en «version française» et non en «version
originale». En rendant un hommage appuyé
aux œuvres de Lully – alors que l'opéra
n'est pas le domaine de Couperin –
et en présentant celles de Corelli
– qui sont pour lui une concurrence
directe – d'une façon quelque peu
réductrice, le compositeur nourrit-il
la secrète ambition de devenir
à la fois un Lully instrumental
et un Corelli parisien?

Loin des mondanités

Dans les années 1720, Couperin
concentre toutes ses forces, qui parfois
l'abandonnent, sur la rédaction de ses
ouvrages. Ceux-ci constituent sa vie : sa vie
musicale, sa vie intellectuelle par ce qu'ils
souhaitent démontrer, sa vie privée par leur
élaboration à l'écart des mondanités, enfin sa vie
publique par leur parution. Les deux dernières
œuvres, pourtant d'une rare perfection, trahissent une
lassitude face à une santé fragile qui, insidieusement,
tourmente le musicien.

❝Que tardes-tu
Phœbus? Viens
réunir deux sœurs
[les Muses françaises
et italiennes];
Repands egalement sur
elle tes faveurs : [...]
Que chacune s'offrant
le tribut de l'estime,
Ne se refuse plus un
encens légitime.
La Musique n'est
qu'une, et ses
mêmes accords
Par tout doivent
former de semblables
transports.**❞**

Jean de Serré de Rieux,
*Les Dons des Enfants
de Latone*, 1734

« **C'**est le fameux François
Couperin, connu par
son génie fécond et merveilleux
pour la composition et par sa manière
d'exécuter sur l'Orgue, et dont nous
avons grand nombre d'excellents
ouvrages, qui lui feront mériter un jour
une place distinguée sur le Parnasse. »

Evrard Titon du Tillet, *Le Parnasse François*, 1732

CHAPITRE IV
FRANÇOIS LE GRAND

Un an avant la mort de François Couperin en 1733, Titon du Tillet cite le musicien dans le texte qu'il consacre à Charles Couperin et à ses deux frères (à gauche, le Parnasse). En 1743, dans la *Suite du Parnasse François* figurera enfin un article consacré à François le Grand (à droite, détail d'un compositeur écrivant sur son clavecin).

Devenu Ordinaire de la Chambre du roi pour la viole en 1679, Marin Marais (ci-contre) fréquente François Couperin à la cour. Il publie cinq livres de *Pieces de Violes* entre 1686 et 1725. Dans son *Second Livre* de clavecin, Couperin lui rend hommage en le citant comme l'«un des illustres de nos jours qui vient de donner encore un livre de Viole». Marin Marais a laissé également plusieurs opéras, dont l'admirable *Alcione* de 1706, et de *Pieces en Trio* publiées en 1692, qui sont contemporaines de la rédaction des premières sonates en trio de Couperin.

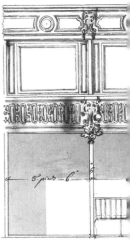

Les dernières années de la vie de François Couperin sont marquées par un repli tant sur le plan personnel que professionnel. Le compositeur reste attaché à son appartement de la rue «neuve des bons Enfants», dont il renouvelle le bail pour neuf ans le 5 juin 1728. Le couple y loge avec leur fille Marguerite Antoinette et emploie un laquais et une cuisinière pour cent et soixante-quinze livres annuelles. Cette période est assombrie par la disparition de plusieurs proches et amis : Lalande meurt en 1726, la chanteuse Marguerite Louise Couperin et Marin Marais en 1728.

Une carrière s'achève

A cette période, la musique de Couperin est toujours écoutée à Paris. Le Concert spirituel, installé aux Tuileries et placé sous la direction de Pierre Simart et Jean Joseph Mouret, programme deux de ses œuvres vocales en 1728 : le 8 septembre un motet à voix seule interprété par Mlle Antier, le 1er novembre le *Benedixisti Domine* de 1704, chanté avec le *De Profundis* de Lalande.

A Versailles, le 16 février 1730, Couperin transmet la survivance de la charge de claveciniste du roi à sa fille Marguerite Antoinette – elle le remplaçait à la cour avant cette date. Pas plus que son père, la jeune femme ne pourra en être titulaire : car Louis XV supprimera cette charge en 1736 après la mort de Jean-Baptiste Henry d'Anglebert et la transformera peu après en une simple «commission», moins onéreuse, destinée officiellement à Marguerite Antoinette. Cette dernière joue souvent à la cour;

Si les informations abondent à propos des programmes musicaux du Concert spirituel – fondé en 1725 par Anne Danican Philidor –, en revanche il est aujourd'hui difficile d'évoquer le décor de la salle des Cent Suisses, aux Tuileries, dans laquelle se sont produits les interprètes. Cette «Elévation et coupe du Concert spirituel» (ci-dessous) est l'un des rares documents architecturaux sur la plus prestigieuse des organisations de concerts à Paris au XVIIIe siècle.

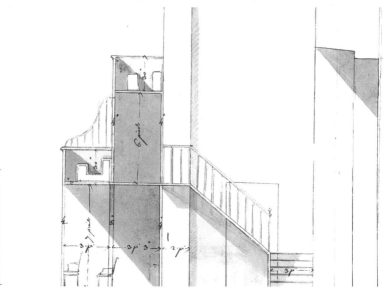

elle se produit devant la reine, accompagnée au violon par Gabriel Besson, relate le *Mercure de France* en août 1729. L'année suivante, elle participe à de nombreux concerts à Fontainebleau et à Versailles. Mais, elle aussi de santé délicate, la claveciniste se fait bientôt remplacer par Guillaume Marchand puis par Bernard de Bury – et ce même avant la mort de son père.

Enfin, en 1730, François Couperin vend sa charge d'organiste du roi à Guillaume Marchand, qui tient la tribune à Notre-Dame de Versailles.

Un linceul

Les *Pieces de Violes avec la basse chifrée par Mr. F. C.* sont publiées en 1728 et sont mentionnées par le *Mercure de France* en août 1729. Elles sont constituées de deux suites. La seconde apparaît comme le testament musical de François Couperin : à la différence de la première, plus traditionnelle, elle ne comporte aucun mouvement de danses mais

Au château de Fontainebleau (à gauche), Marguerite Antoinette, la fille de Couperin, se produit parfois au clavecin.

" La mort, la mort barbare, détruit aujourd'huy mille appas. Quelle victime, helas! fut jamais si belle, et si rare? Alceste, la charmante Alceste, la fidelle Alceste n'est plus. Tant de beautez, tant de vertus meritoient un sort moins funeste. **"**

Philippe Quinault-Jean-Baptiste Lully, *Alceste*, acte III, scène v, *Pompe Funébre*, 1674

une *Pompe Funébre* – comme dans l'acte III de l'opéra de Lully, *Alceste* – qui évoque le deuil et les cérémonies qui lui sont attachées.

Cette pièce est suivie par *La Chemise-blanche* : est-ce le propre linceul du compositeur, est-ce une sorte de tombeau de Marin Marais, cité dans la préface du *Second Livre* de clavecin, ou encore celui d'autres proches disparus depuis peu ? N'est-ce pas tout cela à la fois ? Non le tombeau d'une personne précise mais plutôt une réflexion générale sur la mort – réflexion destinée à mieux l'appréhender et ainsi à moins s'en effrayer ?

Il est fort difficile de savoir si les *Pieces de Violes*, ou du moins la seconde suite, représentent la dernière œuvre du compositeur. Dans sa préface au *Quatriéme Livre* de clavecin paru en 1730, l'auteur signale : « Il y a environ trois ans que ces pieces sont achevées; [...] je n'ay pas fait de grands ouvrages depuis. » Ce *Livre* date donc de 1727 environ, le moment où sont gravées les pièces de violes. La dernière phrase de François Couperin peut être interprétée de deux façons : soit il n'a rien composé, soit, au contraire, il a bien écrit quelques-unes des pièces de violes – justement la *Pompe Funébre* et *La Chemise-blanche* – mais il ne les envisage pas comme « de grands ouvrages ». Quoi qu'il en soit, le musicien ne considère ni les unes ni les autres de ces pièces comme ses dernières œuvres.

Avant la parution de ses *Pieces de Violes* en 1728, Couperin a déjà consacré des œuvres à cet instrument : *Les Goûts-réünis* présentent une *Plainte, pour les Violes* dans le Dizième Concert et deux Concerts entiers écrits pour les violes : dans le Douzième, « à deux Violes, ou autres instrumens à l'unisson », le musicien signale qu'il préfère une exécution sans l'accompagnement d'un clavecin ou d'un théorbe; dans le Treizième, les violes ne sont pas mentionnées de manière spécifique, mais la tessiture et les clés employées témoignent que Couperin a pensé en premier lieu aux violes. S'ajoutent à ce corpus les « contre-parties » écrites pour la viole dans les *Concerts Royaux* et dans le *Quatriéme Livre* de clavecin – ainsi la seconde partie de *La Croûlli ou la Couperinéte*, composée « dans le Goût de Muséte ».

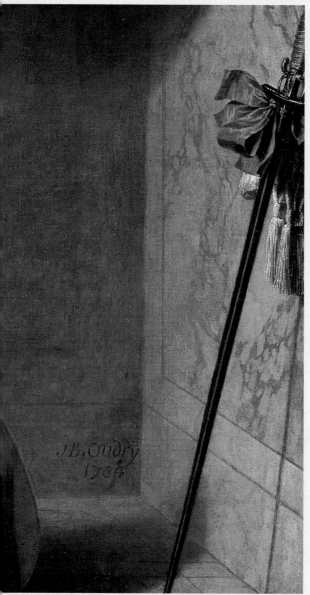

J.B. Oudry
1734

Appartenant à l'illustre famille des violes – qui est la rivale de celle des violons tout au long de l'époque baroque –, la basse de viole (à gauche) se signale par l'intérêt que lui portent à la fois les luthiers, les compositeurs, les instrumentistes et le public. Sainte Colombe, Marin Marais, Caix d'Hervelois, Antoine et Jean-Baptiste Forqueray lui donnent en France ses lettres de noblesse. A Paris et à Versailles, elle est encore jouée au milieu du XVIIIe siècle par des virtuoses remarquables. D'une sonorité moelleuse, intime, la viole se prête fort bien au jeu harmonique grâce à la forme de son chevalet et au nombre de ses cordes : six, et sept en France. Dans le *Traité de la Viole* de Jean Rousseau publié en 1687, cette septième corde est considérée comme une innovation due à Sainte Colombe.

Peu de temps avant sa mort, le 2 mai 1733, il fait en effet renouveler pour dix ans son Privilège, cette autorisation d'imprimer un ouvrage après l'examen de la censure.

Affiner davantage son langage

Le *Quatriéme Livre* est l'ultime publication du musicien. Amer et désabusé, ce recueil est l'un des plus beaux qu'il ait écrit. Il peut surprendre car les jouissances et les jubilations sonores de jadis ont disparu. Mais en 1730 Couperin n'a plus à prouver qu'il connaît le clavecin mieux que quiconque. S'il y a pour lui urgence à composer, ce n'est pas pour briller à la cour ou dans quelque salon parisien mais pour affiner davantage son langage. Le claveciniste brillant, virtuose, désire laisser le souvenir d'un grand artiste. Après l'écriture grave et dense du *Premier Livre*, allégée dans le *Second*, la tessiture des pièces de clavecin monte peu à peu dans le *Troisiéme* et aboutit à l'aigu de l'instrument, dans une texture très fluide à deux ou trois voix. En témoignent *Les Ombres Errantes*, *Les Pavots* ou bien *La Convalescente*,

Comme Couperin aime à l'écrire, ses pièces de clavecin présentent des «caracteres nouveaux et diversifiés». Son champ d'évocation est en effet très large : de *L'Anguille* aux *Satires; Chevre-pieds* et des *Vieux* et *Jeunes Seigneurs* au compositeur lui-même. Ainsi, dans le *Vingt et unième Ordre*, *La Couperin* (ci-dessous) est-elle sans doute un autoportrait, s'offrant comme une sorte d'équivalent musical des dessins ou des tableaux que l'on a brossés de lui.

La Couperin

D'une Vivacité moderée.

le portrait privé de l'artiste, placé à quelques pages de son portrait public, *La Couperin*.

Ses pièces de clavecin assurent à Couperin l'un de ses plus grands succès – de nos jours, elles sont aussi les plus célèbres. Moins polémiques que

Les Pavots (ci-dessus) sont chez Couperin une musique plus noire qu'il n'y paraît, hypnotique et d'une langueur dangereuse.

Réalisée par Jean-Jacques Flipart en 1735, la gravure qui figure le musicien est « d'une ressemblance heureuse et frappante », estime le *Mercure de France* (ci-contre). Dans ce portrait, François Couperin choisit de présenter devant lui ce qui semble être sa pièce de clavecin préférée : *Les idées Heureuses*, extraites du Second Ordre de son *Premier Livre*. Ces « idées » ressortissent au domaine musical et sont, bien entendu, celles du compositeur. Ce titre évoque sans doute l'écriture « luthée » employée ici – l'artiste en a souvent fait un bel usage, en particulier dans certains préludes de *L'Art de toucher le Clavecin*. En 1734, un an après la mort de Couperin, Michel Corrette publie à son tour dans son *Premier livre de pieces de clavecin* des *Idées heureuses*, elles aussi en *ré* mineur : elles constituent un véritable hommage à l'œuvre de son prédécesseur.

Les Goûts-réünis, que les *Apothéoses* et *Les Nations*, elles souhaitent unir deux siècles. Mais, de même que la France a pris le pas sur l'Italie dans la musique de chambre, de même les Lumières prennent ici le pas sur le Grand Siècle.

D'un organiste à l'autre

François Couperin meurt le 11 septembre 1733, à soixante-cinq ans. Il est inhumé en l'église Saint-Joseph, qui dépend de la paroisse Saint-Eustache. Deux semaines plus tard, le 28 septembre, sa veuve et sa fille louent un appartement à Versailles.

Il est plus commode pour les fonctions de Marguerite Antoinette à la cour. Le 29 octobre, le secrétariat de la Maison du roi officialise la nomination de Guillaume Marchand comme organiste de la Chapelle. Le 12 décembre, Nicolas, le cousin du compositeur, lui succède à l'église Saint-Gervais. Il va jouer un rôle capital dans la diffusion des ouvrages de Couperin : il les vend à son domicile, en surveille les nouveaux tirages et prend pour eux un Privilège en 1745. L'attention que porte Nicolas à la musique de François, l'obtention de son poste à Saint-Gervais et de celui de Marguerite Antoinette à Versailles témoignent une fois encore chez les Couperin de la force du lien familial.

La veuve de Couperin s'éteint en 1747. Armand Louis, le fils de Nicolas puis, après lui, ses deux fils Pierre Louis et Gervais François continuent d'occuper la tribune parisienne. Céleste Thérèse, la dernière du nom, devient un temps l'organiste de la paroisse après le décès de son père Gervais François; elle meurt en 1860 à Beauvais, isolée et démunie.

En quittant ses fonctions officielles à la cour, Couperin dit adieu à Versailles (ci-dessus, le parc en hiver). Le musicien meurt au deuxième étage de l'immeuble qui fait l'angle de la rue Radziwill et de la rue des Petits-Champs. Son logement est assez spacieux. Sans être luxueux, le mobilier est celui d'un bourgeois aisé comme celui d'un auteur qui apprécie les petites tables à écritoire avec un tiroir «garny d'un poudrié et un ancrié de cuivre».

Tâcher de mériter une immortalité

A ceux qui, aujourd'hui encore, ne parviennent pas à reconnaître le génie de Couperin et à comprendre pourquoi il fut, dès le XVIIIᵉ siècle, dénommé François Couperin «le Grand», il n'aura manqué que de se pencher plus avant sur les multiples facettes d'un tempérament d'une rare complexité. Le musicien fut partagé entre son respect pour les œuvres de ses ancêtres et son désir de composer autre chose, comme il fut partagé entre son admiration pour l'Italie et son amertume de ne pas voir la musique instrumentale française occuper la place qu'elle méritait. Il fut déçu d'une vie publique qui ne lui apporta pas toute la reconnaissance qu'il était en droit d'attendre, comme il souffrit d'une vie privée durant laquelle, jeune, l'argent lui fit défaut puis, âgé, les maladies entravèrent ses activités. Dans ses dernières années, il entra en rage contre les contradicteurs et les gens de parti pris : l'orgueil, plus ombrageux, raidit sa polémique.

A la fin de la préface de son *Quatriéme Livre* de clavecin, le compositeur écrit qu'il faut «tacher de meriter une immortalité chimérique ou presque tous les Hommes aspirent». Sa vie durant, Couperin s'essaya à tracer un lien illusoire entre des goûts trop divergents. Enoncé d'une façon unique, ce dessein lui apporta l'immortalité.

Existe-t-il un mystère autour de François Couperin? Rares sont en effet les compositeurs du XVIIᵉ et du XVIIIᵉ siècle qui suscitent à ce point la tendresse des interprètes d'aujourd'hui. Sa musique est leur jardin secret : à leurs yeux, elle met en valeur leur art de chanter ou de «toucher» un instrument, comme leur art de toucher le public… Toutefois, que de difficultés attendent les exécutants! L'accès à cette musique peut être facile et le déchiffrage aisé. Mais qui, même à la suite d'un long travail, affirmera l'interpréter parfaitement? L'œuvre de Couperin ne se livre jamais entièrement à ceux qui l'aiment, leur donnant l'impression vague et pourtant très forte qu'elle se laisse jouer, entendre et admirer mais qu'aussitôt après elle disparaît.

TÉMOIGNAGES
ET DOCUMENTS

**"J'avoüeray de bonne foy,
que j'ayme beaucoup mieux
ce qui me touche,
que ce qui me surprend."**

François Couperin,
préface du *Premier Livre*
de pièces de clavecin, 1713

François Couperin préface ses œuvres

Le compositeur a toujours accordé le plus grand soin, un soin presque méticuleux, à la présentation et à la publication de sa musique. Les préfaces qu'il rédige de 1713 à 1730 constituent l'une des meilleures approches de son œuvre, de son évolution comme de ses partis pris. En voici de larges extraits. La parole est au musicien : qui pouvait mieux que lui évoquer son art ?

L'un des «petits exercices pour former les mains», extrait de *L'Art de toucher le Clavecin*.

Des pièces tendres, et de sentiment

Il m'a êté impossible de satisfaire plûtôt les désirs du public en luy donnant mes piéces gravées : j'espere qu'il ne me soupçonnera pas d'avoir affecté ce retardement pour piquer d'avantage sa curiosité, et qu'il me pardonnera la lenteur du travail en faveur de l'exactitude. On sçait assés qu'un auteur n'a que trop d'interest de donner une édition corecte de ses ouvrages, lors qu'ils ont eu le bon-heur de plaire : s'il est flaté par les aplaudissemens des connoisseurs, il est mortifié par l'ignorance, et les fautes des copistes, c'est le sort des manuscrits recherchés.

J'aurois voulu pouvoir m'apliquer il y a longtemps à l'impression de mes piéces, quelques unes des occupations qui m'en ont détourné sont trop glorieuses pour moy pour m'en plaindre ; il y a vingt-ans que j'ay l'honneur d'estre au Roy, et d'enseigner presqu'en même temps à Monseigneur le Dauphin-Duc de Bourgogne, et à six Princes ou Princesses de la Maison Royale : ces occupations, celles de Paris, et plusieurs maladies, doivent estre des raisons suffisantes pour persuader que je n'ay pû trouver au plus que le temps de composer un aussi grand nombre de piéces, puisque ce livre en contient soixante et dix, et que je compte en donner un second volume à la fin de l'année. J'ay toûjours eu un objet en composant toutes ces piéces : des occasions différentes me l'ont fourni, ainsi les Titres répondent aux idées que j'ay eües ; on me dispensera d'en rendre compte : cependant comme parmi ces Titres, il y en a qui semblent me flater, il est bon d'avertir que les piéces qui les portent, sont des espéces de portraits qu'on a trouvé quelques fois assés ressemblans sous mes doigts, et que la plûpart de ces Titres avantageux, sont plûtôt donnés aux aimables originaux que j'ay voulu representer, qu'aux copies que j'en ay tirées. Il y a plus d'un an qu'on travaille à ce premier Livre. Je n'y ay épargné n'y la dépence, n'y mes peines ; et l'on ne devra qu'a cette extrême attention, l'intelligence et la précision qu'on remarquera dans la gravûre. [...]

L'usage m'a fait connoître que les mains vigoureuses, et capables d'exécuter ce qu'il y a de plus rapide, et de plus léger, ne sont pas toûjours celles qui reüssissent le mieux dans les piéces tendres, et de sentiment, et j'avoüeray de bonne foy, que j'ayme beaucoup mieux ce qui me touche, que ce qui me surprend.

Le Clavecin est parfait quant à son etendüe, et brillant par luy même ; mais comme on ne peut enfler, ny diminuer ses sons, je sçauray toûjours gré à ceux qui par un art infini, soutenu par le goût, pourront ariver à rendre cet instrument susceptible d'expression : c'est à quoy mes ancêtres se sont apliqués, indépendamment de la belle composition de leurs piéces : j'ay tâché de perfectionner leurs découvertes : leurs ouvrages sont encore du goût de ceux qui l'ont exquis.

A l'égard de mes piéces, les caracteres nouveaux, et diversifiés, les ont fait recevoir favorablement dans le monde, et je souhaite que celles que je donne qu'on ne connoissoit point, ayent autant de reüssite que celles qui sont déjà connües.

Pièces de Clavecin,
Premier Livre,
Paris, 1713

Pour toutes espèces de voix

Je composai il y a quelques années trois Leçons de Tenébres pour le Vendredy Saint, a la priere des Dames Religieuses de Lxx. ou elles furent chantées avec succez. Cela m'a determiné depuis quelques mois a composer celles du Mercredy, et du Jeudy : cependant je ne donne a present que les trois du premier jour, n'ayant pas assez de temps d'icy au Carême pour faire graver les Six autres.

[...] quoyque le Chant en soit notté sur la Clef de dessus, toutes autres Especes de Voix pouront les Chanter, d'autant que la plus part des personnes d'aujourd'huy qui accompagnent scavent transposer. Je donneray les six autres trois a trois si le Public est content de celles cy. Si l'on peut joindre une basse de Viole, ou de Violon a l'accompagnement de l'Orgue ou du Clavecin cela fera bien.

Leçons de Ténèbres,
Paris, entre 1713 et 1717

Deux « Ordres » de plus

Enfin, voici le second Livre de mes piéces de Clavecin ; que je croyois cependant pouvoir mettre au jour dés la même année que le premier a paru. Quelques égards m'en ont détournés. 1° J'ai crû qu'il faloit laisser un intervale plus considerable pour donner le tems aux personnes qui joüent les piéces du premier, de les posseder suffisamment. 2° La composition de neuf leçons de Ténèbres à une, et à deux voix, dont les trois du premier jour sont déja gravées, et en vente. 3° Une méthode qui a pour tître, *L'Art de toucher le Clavecin* ; tres utile en general ; mais absolument indispensable pour exécuter mes piéces dans le goût qui leur convient, et que j'ai jugé devoir placer entre mes deux livres.

4° Un retour d'atention pour un des illustres de nos jours qui vient de donner encore un livre de Viole ; et dont je ne devois pas traverser la gravûre puisqu'il n'avoit pas interrompu celle de mon premier livre de Clavecin ; aïant tous deux le même graveur. 5° Toûjours des devoirs tant à la cour, que dans le public ; et par dessus tout, une santé tres délicate. Enfin pour tâcher de marquer ma sensibilité aux amateurs de mon premier livre, et répondre à l'empressement qu'ils font paroître pour avoir le second ; je l'ai grossi de deux Ordres de plus que le précédent ; aussi le vendra-t-on, par rapport à l'augmentation de dépence, 2^{lt} de plus que l'autre.

Pièces de Clavecin, *Second Livre*, Paris, 1716 ou 1717

Le beau toucher

La Méthode que je donne icy est unique, et n'a nul raport à la Tablature, qui n'est qu'une science de Nombres : mais j'y traite sur toutes choses (par principes démontrés) du beau Toucher du Clavecin. J'y crois même donner des notions assés claires (du goût qui convient à cet intrument) pour être aprouvé des habiles, et aider ceux qui aspirent à le devenir. Comme il y a une grande distance de la Grammaire, à la Déclamation ; il y a aussi une infinie entre la Tablature, et la façon de bien-jouer. Je ne dois donc point craindre que les gens éclairés s'y méprénent ; je dois seulement exhorter les autres à la docilité, et à se dépoüiller des préventions qu'ils pouroient avoir, au moins les dois-je assurer tous, que ces principes sont absolument nécessaires pour parvenir à bien éxecuter mes Piéces.

L'Art de toucher le Clavecin, seconde édition, Paris, 1717

Ce petit silence...

J'espére que les amateurs de mes Ouvrages s'apperçevront dans ce troisiéme livre, que je redouble d'Ardeur pour continüer à leur plaire ; et j'ose me flatter qu'il leur plaira, au moins, autant que les deux volumes qui l'ont précédé.

On trouvera un signe nouveau dont voici la figure **)**. C'est pour marquer la terminaison des Chants, ou de nos Phrases harmoniques, et pour faire comprendre qu'il faut un peu séparer la fin d'un chant, avant que de passer à celuy qui le suit. Cela est presque imperceptible en general, quoy qu'en n'observant pas ce petit Silence, les personnes de goût sentent qu'il manque quelque chose à l'éxécution, en un mot, c'est la diférence de ceux qui lisent de suite, avec ceux qui s'arêtent aux points, et aux virgules, ces silences se doivent faire sentir sans alterer la mesure. [...]

Je suis toujours surpris (apres les soins que je me suis donné pour marquer les agrémens qui conviennent à mes Piéces, dont j'ay donné, à part, une explication assés intelligible dans une Méthode particuliere, connüe sous le titre de *L'Art de toucher le Clavecin*), d'entendre des personnes qui les ont aprises sans s'y assujétir. C'est une négligence qui n'est pas pardonnable, d'autant qu'il n'est point arbitraire d'y mettre tels agrémens qu'on veut. Je déclare donc que mes piéces doivent être exécutées comme je les ay marquées : et qu'elles ne feront jamais une certaine impression sur les personnes qui ont le goût vray, tant qu'on n'observera pas à la lettre, tout ce que j'y ay marqué, sans augmentation ni diminution.

Je demande grace à Messieurs les Puristes, et Grammairiens, sur le stile de mes Préfaces, j'y parle de mon Art, et si je m'assujetissois à imiter la sublimité du

L'ART

De toucher Le Clavecin,

Par

MONSIEUR COUPERIN

Organish vu Roi, &c.

Dédié

A SA MAJESTÉ.

Prix 10. en blanc.

A PARIS

Chés {
M.r Couperin Organiste de S.t Gervais proche l'Eglise
Le Sieur Boivin rue S.t Honoré à la Régle d'or,
proche la rue des Bourdonnoix.
Et depuis peu, chés Le S.r Le Clerc Marchand rue du Roûle à la Croix d'Or.

AVEC PRIVILEGE DU ROI.

1717

gravé par Berey

leur, peut-être parlerois-je moins bien du mien. Je n'aurois jamais pensé que mes Piéces dussent s'attirer l'immortalité, mais depuis que quelques Poëtes fameux leur ont fait l'honneur de les parodier, ce choix de préférence pouroit-bien dans les tems à venir, leur faire partager une réputation qu'elles ne devront originairement qu'aux charmantes parodies qu'elles auront inspirées, aussi marquay-je d'avance à mes associés-bénévoles, dans ce nouveau livre, toute la reconnoissance que m'inspire une société aussi flateuse, en leur fournissant dans ce troisiéme ouvrage, un vaste champ pour exercer leur Minerve.

Pièces de Clavecin,
Troisième Livre, Paris, 1722

Pour les concerts de chambre

Les pieces qui suivent sont d'une autre Espéce que celles que j'ay données jusqu'a present. Elles conviennent non seulement, au Clavecin; mais aussy au Violon, a la Flute, au Hautbois, a la Viole, et au Basson. Je les avois faites pour les petits Concerts de chambre, ou Louis quatorze me faisoit venir presque tous les dimanches de l'année. Ces piéces étoient executées par Messieurs Duval, Philidor, Alarius, et Dubois : j'y touchois le Clavecin. Si elles sont autant du goût du Public, qu'elles ont êté aprouvées du feu-Roy; j'en ay suffisament pour en donner dans la suite quelques volumes complets. Je les ay rangées par Tons, et leur ay conservé pour titre celuy sous lequel elles etoient connûes a la Cour en 1714 et 1715.

Concerts Royaux, Paris, 1722

Au nom de la neutralité

Le Titre de ce nouveau Livre, non seulement servira à le distinguer de ceux que j'ay déja donnés; mais convient encore à marquer la diversité des Caracteres qu'on y trouvera rassemblés.

Le goût Italien et le goût François ont partagé depuis longtems (en France) la République de la Musique; à mon égard, j'ay toûjours estimé les choses qui le meritoient, sans acception d'Auteurs, ny de Nation; et les premiéres Sonades Italiénes qui parurent à Paris il y a plus de trente années, et qui m'encouragerent à en composer ensuite, ne firent aucun tort dans mon esprit, ny aux ouvrages de Monsieur de Lulli, ni à ceux de mes ancêtres; qui seront toûjours plus admirables, qu'imitables. Ainsi par un droit que me donne ma neutralité, je vogue toûjours sous les heureux auspices qui m'ont guidé jusqu'à présent.

La Musique Italiéne ayant le droit d'ancienneté sur la nôtre, on trouvera à la fin de ce volume une grande Sonade-en-Trio, qui a pour titre l'Apothéose de Corelli. Une légere étincelle d'amour-propre m'a déterminé à la donner en Partition. Si quelque jour ma Muse s'éléve au dessus d'elle même, j'oseray entreprendre aussi, dans un autre genre, celle de l'incomparable Monsieur de Lulli; quoyque ses seuls ouvrages dûssent suffire pour l'immortaliser.

Les Goûts-réünis ou Nouveaux Concerts
à l'usage de toutes les sortes d'instrumens
de Musique, augmentés d'une grande
Sonade en Trio intitulée Le Parnasse ou
L'Apothéose de Corelli, Paris, 1724

Hommage

Tout ce que j'appréhende, en voulant faire honneur au plus grand homme en Musique, que le dernier Siécle ait produit; c'est de diminuer le préjugé de ceux ne connoissent ses ouvrages que par la Renommée : car d'ailleurs ce qu'il a fait pour le Theâtre, est au dessus de toutes loüanges : et de ma part, c'est plustost un hommage que je prétends rendre à sa Mémoire, qu'un panégyrique harmonique, que j'aye prétendu faire.

Concert instrumental sous le titre d'Apothéose composé à la mémoire immortelle de l'incomparable Monsieur de Lully, Paris, 1725

Histoire d'un mensonge

Il y a quelques Années, déjà, qu'une Partie de ces Trios a été composée : il y en eut quelques Manuscrits répandus dans le monde, dont je me déffie par la négligence des Copistes. De tems à autre, j'en ay augmenté le nombre ; et je crois que les Amateurs du vray en seront satisfaits. La première Sonade de ce Recueil fut auscy la premiere que je composay ; et qui ait êté composée en France. L'Histoire même en est singuliere.

Charmé de celles du signor Corelli, dont j'aimeray les œuvres tant que je vivray ; ainsy que les ouvrages-françois de Monsieur de Lulli, j'hazarday d'en composer une, que je fis éxécuter dans le Concert ou j'avois entendu celles de Corelli. Connoissant l'âpreté des françois pour les nouveautés étrangeres sur toutes choses, et me déffiant de moy-même, je me rendis, par un petit mensonge officieux, un très bon service. Je feignis qu'un parent que j'ay, effectivement, auprés du Roy de Sardaigne, m'avoit envoyé une Sonade d'un nouvel Auteur italien : je rangeai les lettres de mon nom de façon que cela forma un nom italien, que je mis à la place. La Sonade fut devorée avec empressement ; et j'en tairay l'apologie. Cela cependant m'encouragea. J'en fis d'autres ; et mon nom italiénisé m'attira, sous le masque, de grands applaudissemens.

Mes Sonades, heureusement, prirent assés de faveur pour que l'équivoque ne m'ait point fait rougir. J'ay comparé ces premieres Sonades avec celles que j'ay faites depuis ; et n'y ay pas changé n'y augmenté grand-chose. J'y ay joint seulement de grandes Suites de Piéces auxquelles les Sonades ne servent que de Préludes, ou d'especes d'introductions.

Je souhaite que le Public desinterressé en soit content. Car il y a toûjours des Contradicteurs, qui sont plus à redouter que les bons Critiques, dont on tire souvent, contre leur intention, des avis très salutaires. Les premiers sont méprisables, et je m'acquite d'avance envers eux : avec usure. Il me reste un nombre assés considerable de ces Trios pour en former dans la suite un Volume auscy complet que celuy-cy.

Les Nations. Sonades et Suites de Simphonies en Trio, Paris, 1726

Des regrets

Il y a environ trois ans que ces pieces sont achevées ; mais comme ma santé diminuë de jour en jour, mes amis m'ont conseillé de cesser de travailler et je n'ay pas fait de grands ouvrages depuis. Je remercie le Public de l'aplaudissement qu'il a bien voulu leur donner jusqu'icy ; et je crois en meriter une partie par le zele que j'ai eu à lui plaire. Comme personne n'a gueres plus composé que moy, dans plusieurs genres, j'espere que ma Famille trouvera dans mes Portefeüilles de quoy me faire regretter, si les regrets nous servent a quelque chose apres la Vie, mais il faut du moins avoir cette idée pour tacher de meriter une immortalité chimerique ou presque tous les Hommes aspirent.

Pièces de Clavecin, Quatrième Livre, Paris, 1730

Inventaire

L'inventaire après décès de François Couperin est établi le 16 septembre 1733. La partie concernant la musique confirme les goûts artistiques du compositeur : sa bibliothèque semble exclusivement française et italienne, nulle trace d'ouvrages allemands, anglais, espagnols… Ses instruments sont français ou flamands. Selon l'usage, le musicien vendait ses propres ouvrages à son domicile. Il conservait également les planches de cuivre ou d'étain destinées à imprimer ses œuvres.

Pupitre de clavecin.

Opéras, motets, cantates, sonates…

Douze livres de différents opéras, tant gravés qu'écrits à la main, dont 11 in-folio reliés en veau et le douzième pareillement in-folio couvert de parchemin. 24 livres.

Huit autres différents opéras in-4°, parties reliées en veau, l'autre partie brochée. 4 livres.

Deux livres de mottets de Monsieur Bernier, in-folio. 4 livres.

Vingt-trois volumes de cantates de différents autheurs, in-folio, dont la plus grande partye brochée et le surplus relié en veau. 23 livres.

Vingt-trois livres de sonattes de différents autheurs, in-folio, dont la plus grande partie brochée et le surplus relié. 23 livres.

Le sixième livre des Triaux de Corelly et quatre autres livres du même auteur, in-4°, relié en veau. 11 livres.

Deux livres de pièces de violle de la composition de M. Marais, in-4°, reliés en veau. 20 sols.

Trois volumes de Trios d'Albinony, in-4°, relié en veau. 40 sols.

Des dizaines de volumes…

Trente-trois volumes du premier livre des œuvres dudit déffunt sieur Couperin, en feuille. 165 livres.

Dix volumes du second livre des mesmes œuvres, en feuilles. 50 livres.

Dix-sept volumes du troisième livre des œuvres du même auteur, 85 livres.

Onze volumes du quatrième livre des œuvres du même auteur, en feuilles. 55 livres.

Douze volumes des œuvres dudit sieur Couperin intitulé *Méthode pour le clavesin*, in-4°, en feuille. 18 livres.

Sept volumes d'ouvrages dudit déffunt intitulés *Les Goûts réunis*, in-4°, en feuille. 28 livres.

Épinette française
du XVIIe siècle.

Onze volumes de pièces de violle de la composition du même auteur, in-4°, en feuilles. 11 livres.

Cinq volumes des œuvres du même auteur intitulé l'*Apothéose*, in-4°, en feuilles. 5 livres.

Deux volumes de Triaux du même auteur. 40 sols.

Des planches de cuivre rouge et d'étain

Quatre cent quatre-vingt-seize planches de cuivre rouge, sur lesquelles sont gravées les œuvres dudit déffunt sieur Couperin cy-dessus mentionnées. 1240 livres.

Cent dix-sept autres planches d'étin, sur lesquelles sont pareillement gravées les œuvres dudit déffunt sieur Couperin. 175 livres 10 sols.

Cent vingt-trois planches d'estin, sur lesquelles sont gravées pareilles ouvrages. 73 livres 12 sols.

Clavecin, épinettes, violes...

Un grand clavessin, monté sur son tréteau de bois verny, fait par Blanchet. 300 livres.

Une grande épinette de Flandre, de bois verni, montée sur son tréteau. 30 livres.

Une petite épinette à l'octave, de bois verni, sur son pied de pareil bois. 30 livres.

Une autre petite épinette, sans pieds, de bois de noyer, 10 livres.

Un petit bufet de flutte d'orgue, monté sur son pied, le tout de bois noirci. 15 livres.

Deux violles et 1 violon de schelo. 30 livres.

Deux violons de Paris. 6 livres.

Clavecin, épinette et orgue : les claviers de Couperin

Reinhard von Nagel, facteur de clavecins, évoque les instruments à claviers dont disposait François Couperin. Il les replace dans le contexte de l'époque, en précise les origines et en souligne enfin les caractéristiques principales.

Dessin des claviers d'un clavecin, extrait du frontispice des *Pieces de Clavessin* de Jacques Champion de Chambonnières, Paris, 1670.

Un grand clavecin à deux claviers

Aucun clavecin ayant appartenu à François Couperin et identifié comme tel n'a été conservé. Cependant, dans l'inventaire dressé après sa mort en 1733, se trouvent des indications précieuses.

Il y est ainsi mentionné «un grand clavessin, monté sur son tréteau de bois verny, fait par Blanchet. 300 livres». Nicolas Blanchet (1660-1731), facteur de clavecins, est reçu maître par chef-d'œuvre en 1689. Il s'associe avec son fils François Etienne l'Aîné en 1722. La mention «fait par Blanchet» ne précise donc pas s'il s'agit d'un instrument fait par Nicolas ou par Nicolas et François Etienne.

L'instrument cité ici, qualifié de «grand» et dont l'estimation s'élève à trois cents livres, est sans nul doute un clavecin à deux claviers : un registre de huit pieds (grand jeu) et un registre de quatre pieds (sonnant une octave plus haut que le huit pieds) au clavier inférieur, un registre de huit pieds (petit jeu) au clavier supérieur. Il possède un accouplement à tiroir : le clavier supérieur une fois poussé permet de faire sonner ensemble, au clavier inférieur, le grand jeu et le petit jeu.

L'inventaire ne donne qu'une idée imprécise de l'aspect décoratif du grand clavecin, en signalant qu'il est «monté sur son tréteau [piétement] de bois verny». A l'époque, le terme «verny» est en général synonyme de «laqué», voire de «doré».

L'école de facture franco-flamande

Tous les instruments réalisés par les Blanchet au XVIIIe siècle s'inscrivent dans la tradition franco-flamande. A Paris, le début du siècle est marqué par une influence croissante de l'école de facture

flamande : cette dernière donne
naissance à celle qui, aujourd'hui,
est appelée l'école franco-flamande ;
elle éclipse alors les écoles françaises
et italiennes du XVIIᵉ siècle. Les facteurs
parisiens réutilisent alors des instruments
flamands anciens, souvent signés
Ruckers, et les mettent au goût du jour.
Ils y effectuent des ravalements.
Les petits ravalements augmentent
le nombre de touches des claviers,
modifient la disposition et le cordage,
transforment à l'occasion des clavecins
transpositeurs en clavecins à
accouplement sans toutefois élargir
la caisse. Les grands ravalements
élargissent et allongent les caisses
flamandes, permettant une étendue
des claviers encore plus grande.
En toute logique, les clavecins faits
de toutes pièces par ces facteurs français
témoignent de l'influence étroite
de ces ravalements.

François Couperin est le témoin
privilégié de cette évolution. Il écrit pour
des instruments ravalés mais sait tenir
compte des musiciens qui «n'auront
point de clavecin au ravalement par
en haut». Pour quelques mesures
du sixième prélude de *L'Art de toucher
le Clavecin*, écrites dans l'aigu, il leur
propose de les jouer une octave plus bas.

Trois épinettes et un orgue

Parmi les trois épinettes mentionnées
dans l'inventaire après décès figure une
«épinette à l'octave» – c'est-à-dire
munie d'un seul registre de quatre pieds.
Elle était sans doute proche de celle avec
des éclisses en noyer, signée «Blanchet,
Paris», datée de 1696, qui est aujourd'hui
conservée dans une collection privée
française. Quant à la «grande épinette
de Flandre», elle évoque les grands
instruments construits en Flandre au

début du XVIIᵉ siècle par les Ruckers
et autres Grouwels. Ceux dont le clavier
était à gauche étaient appelés *Spinetten*,
ceux dont le clavier était à droite étaient
dénommés *Muselars*.

Quant au «petit bufet de flutte
d'orgue», il s'agit vraisemblablement
d'un instrument à un clavier avec
un seul registre. Enfin, les trois épinettes
et l'orgue que possédait le musicien
n'ont peut-être été utilisés qu'à des fins
pédagogiques et joués seulement par
ses deux filles au début de leur
apprentissage musical. «On ne doit
se servir d'abord que d'une épinette,
ou d'un seul clavier de clavecin pour
la première jeunesse», souligne encore
François Couperin.

Reinhard von Nagel, octobre 1997

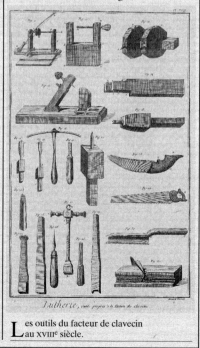

Lutherie, outil propres à la Facture des clavecins.

Les outils du facteur de clavecin
au XVIIIᵉ siècle.

Etre organiste à Paris

Comment devient-on organiste dans le Paris des XVIIe et XVIIIe siècles ? Quel est l'apprentissage requis pour cette charge, quelles sont les étapes obligées pour acquérir la maîtrise de son instrument et, surtout, comment être nommé à une tribune et comment s'y maintenir ? Parcours d'instrumentistes à la recherche d'un emploi dans la capitale.

Autour du maître de chapelle

Tout commence par l'apprentissage, et le futur organiste se trouve déjà là dans le lieu où il se produira. Car les maîtrises paroissiales constituent les écoles de l'époque. C'est autour du maître de chapelle que se réunissent les enfants auxquels on dispense un enseignement général : lecture, grammaire, latin, arithmétique. S'y ajoutent, à l'attention de ceux qui deviendront clergeons et enfants de chœur, des notions de liturgie, de psalmodie, de «lecture sur le livre» (déchiffrage).

Au-delà du service temporaire de l'église, remis en question à l'âge de la mue, l'enfant doué ou appartenant à un milieu professionnel prédisposé à la musique, songe à en faire son métier et travaille avec le maître de chœur et/ou l'organiste, le chant, la viole de gambe, instrument d'accompagnement, et l'épinette, le clavecin, l'orgue, en leçons particulières. Si sa vocation s'affirme, le jeune homme aborde la technique d'interprétation en soliste des pièces écrites, enfin l'art de la composition parallèlement à celui de l'improvisation. Si ce n'est *intramuros*, les conseils se prennent hors de la paroisse, avec un maître «habile», réputé, de la ville, voire de la cour. […]

Un stage chez un facteur d'orgues apportera au jeune organiste des connaissances indispensables à sa charge. De la solidarité – de la complicité – entre l'artisan exerçant un métier «méchanique» (manuel) et l'artiste interprétant ses œuvres sur son prestigieux outil, naîtra une littérature adaptée au goût du jour. Ce passage obligé par ces ateliers servira plus tard à l'organiste lorsqu'il sera appelé à expertiser des instruments.

Quelle paroisse choisir ?

Pour l'organiste, l'importance des
sanctuaires se détermine selon plusieurs
critères : par l'ancienneté de leur
institution, comme la Sainte-Chapelle
ou la Chapelle royale ; par leur officialité,
comme la cathédrale Notre-Dame ;
par leur site privilégié, comme Saint-
Germain-l'Auxerrois, paroisse du
Louvre ; par leur nouveauté, comme
l'hôtel royal des Invalides, ou Saint-
Roch, ou bientôt le second Saint-Sulpice.
   Les organistes recherchent aussi
les paroisses qui abritent les plus beaux
instruments, ceux confiés à de célèbres
facteurs et dotés des perfectionnements
modernes propres à la création et
à l'interprétation.
   La mode aussi conduit l'artiste
à choisir des lieux où souffle un certain
courant musical : chez les Jésuites,
ou aux Théatins, foyer d'italianisme,
comme à Saint-André-des-Arts. Mais
l'importance du poste dépend encore
du quartier : être nommé en la Cité,
ou sur la rive droite, ou autour
de l'Université, ou dans les faubourgs
ne revêt pas la même signification. [...]

Devenir commis, prévôt, survivancier

Dans Paris, les tribunes convoitées sont
plus difficilement abordables, mais rien
n'empêche le candidat de commencer
par suppléer un maître réputé
(d'âge mûr, si possible !), en devenant
son «commis», son «prévôt», ou en se
faisant nommer son «survivancier», ce
qui lui garantira la succession. Les plus
favorisés sont les fils, neveux, cousins,
gendres et petits-fils d'organistes. Les
places sont bien gardées en famille et se
transmettent sur plusieurs générations :
les Couperin à Saint-Gervais, les

La Guerre à la Sainte-Chapelle,
les Dandrieu à Saint-Barthélemy,
les Thomelin à Saint-Jacques-de-la-
Boucherie, les Landrin aux Invalides, les
Gigault à Saint-Nicolas-des-Champs, les
Forqueray à Saint-Séverin, les Fouquet à
Saint-Eustache, les Clérambault à Saint-
Sulpice en sont des exemples notoires.

Des recommandations parfois utiles

Concrètement, dès la vacance par décès
ou démission d'un titulaire, le candidat
doit préparer un dossier. Les diplômes
officiels n'existant pas pour l'organiste,
non muni des grades de la corporation,
il devra justifier de sa formation par
des lettres d'attestation de ses maîtres,
auxquelles il sera bon de joindre
quelques recommandations de
notables de la paroisse, voire de
hauts personnages étrangers à l'église.
Le curé et les marguilliers vont d'abord
s'enquérir de ses bonnes vie et mœurs.
S'il se trouve seul sur les rangs, que
son prédécesseur est encore de ce monde
et peut témoigner de ses capacités,
la succession ne posera pas de problème.
Si d'autres prétendants se présentent,
on organisera un concours…
à l'aboutissement duquel les
recommandations susdites ne
seront toutefois pas superflues. [...]
   Il ne suffit pas d'accéder à une
tribune. Encore faut-il s'y maintenir. Les
réprimandes visent ceux qui sont absents
trop souvent, ou se font remplacer par
des personnes peu capables ; ceux aussi
dont les interventions organistiques
déplaisent aux paroissiens ; ceux dont
le manque de politesse et le caractère
agressif dérange le clergé…
   Marcelle Benoit, «L'organiste dans
la société et la musique : 1660 à 1792»,
Les Orgues de Paris, Paris, Délégation à
l'action artistique de la ville de Paris, 1992

La découverte d'un manuscrit

De bonnes surprises attendent parfois les interprètes. Le claveciniste Davitt Moroney est ainsi parvenu à identifier l'auteur d'un manuscrit de pièces de clavecin datant des années 1690-1700. Il s'agit de Marc Roger Normand, un cousin de François Couperin, compositeur et claveciniste qui mena sa carrière en Italie. Voici l'histoire de cette découverte.

Une collection privée en Italie

En 1997, le claveciniste Alessandro Ferrarese met au jour dans une collection privée italienne – provenant de la collection du musicologue et critique musical Remo Giazotto –, un manuscrit de pièces de clavecin, qui se révèle être la découverte «couperinienne» la plus importante depuis de longues années. En effet, ce manuscrit permet de révéler un auteur jusque-là inconnu, qui a écrit pour le clavecin. Voici un compositeur de plus qui s'inscrit dans la dynastie des Couperin, déjà fort riche en ce domaine…

Six musiciens nommés

Ce *Livre de Tablature de Clavecin de Monsieur de Druent*, écrit par Couperin fut probablement copié vers 1690-1700. En l'état actuel, le manuscrit comporte quatre-vingt-six feuilles – plusieurs semblent avoir été perdues –, contenant cinquante-neuf pièces.

Plusieurs noms de compositeurs, plus ou moins célèbres, figurent en haut des pièces : Couperin (cinq pièces), Chambonnières (cinq), Lebègue (deux),

Livre de Tablature de Clavecin de Monsieur de Druent.

écrit par Couperin —

d'Anglebert (une), Hardel (une), Militon (une). En outre, un examen attentif de l'ensemble du volume permet d'attribuer plusieurs des pièces anonymes à ces mêmes compositeurs. Douze pièces, et parmi les plus belles, sont attribuées

prince de Carignan Emmanuel-Philibert, est logé au palais de Carignan et perçoit la somme de cinq cent quarante livres par an. En 1699 il est nommé organiste de la Chapelle royale, poste qu'il occupe jusqu'à sa mort. Il est également valet

à «Monsieur de La Pierre», qui est soit Paul de La Pierre (vers 1612-1689), compositeur français parti en Italie dans les années 1660, soit son fils, également nommé Paul. En effet, le manuscrit mentionne non seulement «Monsieur Paul» mais aussi «M. de La Pierre l'Esné», ou «le Vieux La Pierre». Tous deux étaient musiciens à la cour de Turin.

Le Couperin de Turin

Toutes les pièces sont notées d'une seule main, à la belle écriture. Le «Couperin» qui a écrit le manuscrit peut être identifié comme étant Marc Roger Normand, le cousin germain de François Couperin le Grand. Ce fils d'Elisabeth Couperin – l'une des sœurs de Louis, François l'Ancien et Charles Couperin – est né vers 1662 et fait sa carrière en Italie, où il meurt le 25 janvier 1734. Dès 1688, selon les recherches menées par Marie-Thérèse Bouquet-Boyer, on le trouve à la cour de Turin, où il joue dans les intermèdes composés par Paul de La Pierre pour l'opéra *Amore vendicato*. Il devient professeur de clavecin du

de chambre de Mme Royale et, peu avant sa disparition, devient contrôleur de la musique de la Chapelle.

Trois éléments décisifs permettent de prouver que Marc Roger Normand est bien le copiste «Couperin» du manuscrit. En premier lieu, il utilise en Italie le nom de famille non pas de son père mais de sa mère, et s'appelle Couperin, voire Coprino ou Coperino. Ensuite, il épouse en 1725 la petite-fille de Paul de La Pierre l'Aîné, Jeanne Constance, fille de Théophile de La Pierre. Enfin, le 4 août 1704, son nom figure dans le registre établi par la police des Français qui habitent Turin ; il est encore célibataire et il habite depuis douze ans dans le quartier San Brigida, dans la Casa Druent.

Nous pouvons en conclure que le *Livre de Tablature de Clavescin de Monsieur de Druent, écrit par Couperin* ne peut être autre chose que l'œuvre de Marc Roger Normand, le Couperin de Turin. François Couperin fait allusion à son cousin dans l'*Avëu de l'Auteur au Public*, publié dans *Les Nations* en 1726.

Davitt Moroney, octobre 1997

Hommages

Dans ce petit recueil d'hommages allant du début du XVIIIe siècle au début du nôtre se compose une sorte de portrait de Couperin : un beau génie, un musicien profond…
D'un chroniqueur du Mercure galant *et de Titon du Tillet jusqu'à Wanda Landowska, fascinée par la « part de sublime » qui réside dans cette musique, tous disent l'estime qu'ils éprouvent pour lui.*

Un concert à Saint-Maur

Instrumentiste recherché, Couperin participe à la vie musicale de son temps. En juillet 1702, il joue ainsi à Saint-Maur.

Il y eut une musique exécutée par les sieurs Cocherot et Thévenart de l'Opéra, et par les demoiselles Couperin et Maupin. La première est de la Musique du Roi et nièce [en vérité, il s'agit de sa cousine] du sieur Couperin, organiste de Sa Majesté, qui l'accompagna avec une épinette. Les sieurs Visée, Forcroy, Philbert, Descoteaux et quelques violons furent aussi de ce concert […]. Le mardi Mlles Couperin et Maupin chantèrent un motet à la Messe de Monseigneur, accompagnées par le sieur Couperin avec l'épinette […]. On se mit au jeu après le souper pendant lequel Mlle Couperin chanta quelques récits des vieux Opéras accompagnés des sieurs Couperin et Forcroy.

Mercure galant, août 1702

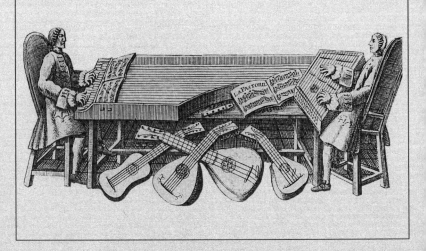

La beauté et la fécondité d'un génie

Titon du Tillet rend ici un hommage des plus respectueux au compositeur disparu dix années auparavant.

François Couperin avoit des dispositions si grandes pour son Art, qu'en peu de temps il devint excellent Organiste, et qu'il fut mis en possession de l'Orgue qu'avoit eue son père. Pendant plus de trente ans qu'il a eu cette Orgue, il attiroit un grand concours de monde, et d'habiles Musiciens qui l'écoutoient avec beaucoup de plaisir, et qui admiroient son beau génie, et son heureuse exécution. [...]

Le grand nombre des Œuvres de Couperin, fait connoître la beauté et la fécondité de son génie. Il a fait graver diverses *Pièces de Clavecin*, en quatre volumes in-folio ; on peut dire qu'elles sont d'un goût nouveau, et d'un caractère où l'Auteur doit passer pour Original. Ces Pièces, remplies d'une excellente harmonie, ont un chant noble et gracieux ; et ce chant même a paru si beau et si naturel qu'on a composé des Paroles sur la Musique de quelques-unes ; elles peuvent être jouées sur le Violon et sur la Flûte, de même que sur le Clavecin. Ces Pièces ont fait honneur à leur Auteur, non seulement dans toute la France, mais encore dans les pays étrangers ; elles sont très estimées en Italie, en Angleterre et en Allemagne.

Evrard Titon du Tillet,
Le Parnasse François, Paris, 1743

Moins brillant mais plus profond ?

Marchand contre Couperin : telle est l'opposition marquée par le fils Daquin.

Ces deux hommes supérieurs partageoient le gout du public dans leur tems, et se disputoient mutuellement la première place. Marchand avoit pour lui la rapidité de l'exécution, le génie vif et soutenu, et des tournures de chant que lui seul connoissoit. Couperin, moins brillant, moins égal, moins favorisé de la nature, avoit plus d'art, et suivant quelques prétendus connoisseurs étoit plus profond. Quelquefois, dit-on, il s'élevoit au dessus de son rival, mais Marchand pour deux défaites gagnoit vingt victoires, il n'avoit d'autre épithète que celle de grand : c'étoit un homme de génie ; le travail et les réflexions avoient formé l'autre.

Pierre Louis Daquin de Château-Lyon,
Lettres sur les hommes célèbres dans les sciences, la littérature et les arts, sous le règne de Louis XV, Paris, 1752

Le grand Couperin

A la fin du XVIIIe siècle, le musicien devient François Couperin « le Grand »...

François Couperin, surnommé le Grand, par la maniere dont il jouait de l'orgue, et par sa facilité à composer des pièces charmantes, qui sont connues de tout le monde.

Jean Benjamin François de La Borde,
Essai sur la musique ancienne et moderne,
Paris, 1780

Original et bien écrit

Un « antiquaire musical » préface en 1841 la publication de trente-huit pièces de clavecin de Couperin.

N'y a-t-il pas partout un besoin de quelques œuvres dont la franche originalité puisse nous faire connaître de nouvelles sensations ? Oui, ce besoin existe, et c'est autant pour y répondre que pour honorer la mémoire de notre vieux Couperin que nous avons voulu réimprimer ses œuvres. Tout le génie et toute la science des compositeurs vivants ne sauraient rien produire d'aussi original, d'aussi naïf et d'aussi bien écrit. Il n'y a que le temps qui puisse donner aux œuvres d'art cette couleur et ce caractère de vétusté qui ne manquera pas de nous surprendre dans celles de Couperin ; il est probable même que les titres si piquants, si singuliers et qui indiquent si bien le caractère de chaque morceau exciteront vivement la curiosité de nos pianistes ; en les exécutant avec intelligence, ils goûteront et feront partager à leurs auditeurs des jouissances qui leur sont encore peu connues.

Jean Bonaventure Laurens,
préface aux pièces de clavecin
de Couperin, Paris, 1841

Une redécouverte

Julien Tiersot, l'un des premiers biographes de la dynastie des Couperin, montre comment la fin du XIXᵉ siècle et le début du XXᵉ ont redécouvert le musicien.

L'œuvre de Couperin a subi les vicissitudes de toutes les créations humaines. Elle a semblé d'abord ne devoir pas survivre longtemps à l'admiration des contemporains du milieu desquels elle était issue. Des transformations profondes dans le goût et les idées se produisaient au moment même de la mort de Couperin. [...]

Il passa pour archaïque ; il fut flétri comme représentant du style rococo. Il faut protester contre cette dernière appréciation : le mot sert à définir un faux goût qui, pour être

contemporain, n'est point du tout celui de Couperin. Que les ornements dont sa musique est surchargée puissent en évoquer l'idée, cela peut être ; mais, par-dessous, [...] il y a une âme, il y a un génie, et cela la distingue de productions qui n'ont jamais valu que par un mode transitoire. Pourtant, cette injustice mise à part, il est bien vrai que l'art de Couperin devenait trop étranger aux tendances des générations qui suivirent pour continuer à leur plaire. [...] L'invention du piano porta le dernier coup à toute musique conçue pour le clavecin, la rendant pratiquement et immédiatement inutilisable. Avant la fin du XVIIIᵉ siècle, la sienne était oubliée. [...]

[A notre époque moderne,] des musiciens qui peut-être n'avaient guère pratiqué son œuvre s'en sont pénétrés par la seule force de leur intuition, et, tout en écrivant dans un esprit nouveau, en ont retrouvé des équivalences. C'est ainsi qu'Ernest Chausson, élevé plutôt à l'école de Bach, a écrit un «Concert» de danses anciennes manifestement vivifié par la tradition des «Suites», des «Ordres» du musicien de Louis XIV. Maurice Ravel s'est mis sous l'invocation de son nom même en composant le *Tombeau de Couperin* (prélude, fugue, rigaudon, menuet, etc.) où, en accord avec l'acuité de son modernisme, la ténuité du dessin, la transparence de la trame, la fluidité des lignes enchevêtrées et fuyantes semblent rattacher l'œuvre contemporaine au modèle ancien par des liens imperceptibles, mais évidents.

Faut-il nommer Debussy ? Les analogies entre son art hermétique et les façons discrètes de Couperin ont été souvent constatées. Lui-même les a avouées, rendant son hommage : «Pourquoi, a-t-il dit, ne pas regretter cette façon charmante d'écrire la musique que nous avons perdue, aussi bien qu'il est impossible de retrouver la trace de Couperin ? Elle évitait toute redondance et elle avait de l'esprit. Nous n'osons plus avoir de l'esprit… » Regrets maintenant périmés : Debussy lui-même a contribué à retrouver ce secret qu'il pensait perdu.

Julien Tiersot, Les Couperin,
Félix Alcan, Paris, 1926

Calmer notre détresse

Dès le début du xxᵉ siècle, la claveciniste Wanda Landowska fait connaître l'œuvre de Couperin. Elle s'est plusieurs fois exprimée sur cette musique.

Quand ai-je compris pour la première fois que la musique de Couperin touchait l'inconscient ?

Un soir, j'étais en proie à une angoisse profonde et indéfinissable. J'ai commencé à jouer *Les Vieux Seigneurs*, du Vingt-quatrième Ordre de Couperin, et cette musique épousait mon humeur et y correspondait si exactement qu'elle m'apaisa. Dans les tréfonds de mon esprit, tant d'incertitudes, tant de points d'interrogation me cernaient, me saisissaient, m'étranglaient ; et pourtant le rythme de la musique de Couperin ne m'agaçait pas, mais concordait plutôt avec mon angoisse. Ces harmonies désolées et déchirées répondaient si bien à mon état intérieur que je me sentis soulagée. Pourquoi cette musique qui dépeint notre désespoir est-elle en même temps si réconfortante ? Ce n'est pas qu'elle exprime notre chagrin, mais plutôt qu'elle est une sublimation de notre détresse, et c'est dans cette sublimation que gît son pouvoir réconfortant ; elle nous libère en desserrant l'étreinte de l'angoisse qui nous étouffe.

Dans le désespoir où j'étais, si j'avais regardé une pièce réaliste de Strindberg, par exemple, dans laquelle il ne s'étend plus rien au-delà du chagrin, elle m'aurait probablement écrasée. Au contraire, la part de sublime dans la musique de Couperin nous donne des ailes. J'ai la sensation précise d'un fluide qui s'infiltre sous la peau, pénétrant non pas le cœur ou l'âme, mais le monde de l'inconscient ; elle nous fait vibrer d'une angoisse qui se mêle d'une joie mystérieuse.

Le langage de Couperin diffère entièrement de celui de Bach ou de Handel. Dans le leur, tout est précis, et, même lorsqu'on rencontre un effet de clair-obscur, il ne subsiste aucun malentendu. Il a quelque chose de direct, une proximité qui nous rassure comme un langage humain, sublime, quoique rituel ; il nous émeut d'une manière bienfaisante, nous saisit par son caractère poignant, et nous apaise. Nous retournons à la vie armés de courage et plus forts, capables de supporter plus facilement la misère quotidienne. Mais quelle est cette angoisse fugace que provoque en nous Couperin ? Il ne parle pas d'amour, de sensualité ou de chagrin de la même manière que Bach ou Haendel. La musique de Couperin imprègne notre inconscient et en agite les différents niveaux. On ne peut la dire exotique, parce qu'elle va bien au-delà de la signification implicite de ce mot et parce qu'elle creuse dans les profondeurs de notre vie intérieure.

Wanda Landowska,
textes d'octobre 1934 et mars 1951
publiés dans Landowska on Music,
édition Denise Restout et
Robert Hawkins,
Stein and Day, New York, 1981,
traduction Dennis Collins

Quatre questions à Kenneth Gilbert

Kenneth Gilbert a été l'un des tout premiers clavecinistes à entreprendre une intégrale discographique de l'œuvre pour clavecin de François Couperin; il en a réalisé une édition complète. Il répond ici à Olivier Baumont et explique son affinité pour cette musique.

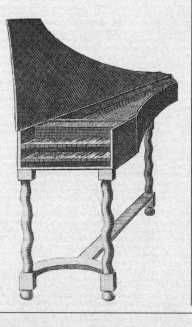

Pour quelles raisons avez-vous choisi l'intégrale de l'œuvre pour clavecin de François Couperin pour votre première réalisation discographique importante?

J'avais découvert les pièces de clavecin lors de mes années d'études au conservatoire de Montréal, en fréquentant assidûment, vers l'âge de quinze ans, les quatre volumes de la vieille édition Augener dont on m'avait fait cadeau. Cette musique me fascinait de plus en plus. En 1968, lors du tricentenaire de la naissance de Couperin et à la suite de mon récital-anniversaire Couperin à la Purcell Room de Londres, la radio canadienne me proposa de réaliser un enregistrement intégral des quatre *Livres* (distribué plus tard par Harmonia Mundi France). Au même moment, l'éditeur parisien Heugel, sur la recommandation de François Lesure, me confia la charge de préparer une nouvelle édition, qui devait paraître dans la série *Le Pupitre* au cours des quatre années suivantes. Je me suis donc trouvé dans une situation exceptionnelle pour connaître cette œuvre «de l'intérieur», comme peu d'interprètes pouvaient l'espérer alors. Cela ne suffit évidemment pas pour expliquer une affinité que j'ai toujours ressentie pour la musique française et l'art français en général.

Que vous a apporté le travail éditorial des œuvres pour clavecin de François Couperin et des Œuvres complètes?

Le fait d'avoir à connaître de près les partitions, en vue d'en réaliser une édition fidèle, bien loin de nuire à sa sensibilité, devrait solliciter l'interprète d'une façon singulière et lui fournir en quelque sorte une double clé pour mieux accéder aux mystères du langage si personnel de Couperin. Je me doutais que l'édition Augener des pièces de clavecin, dont seul le premier volume avait été préparé par Brahms, était devenue inadéquate et recelait de nombreuses fautes – certaines grossières. Malgré la réputation bien connue de Couperin pour la précision de son écriture, on se rend vite compte, à fréquenter l'œuvre, qu'il subsiste maintes ambiguïtés dans la notation originale, qu'une nouvelle édition se devait de clarifier. Pour un interprète soucieux de fidélité au texte, c'est le point de départ obligé vers une appréhension globale de cet univers musical.

La fréquentation de Couperin a-t-elle influencé votre perception du style français chez des compositeurs tels que Purcell ou Bach?

Il existait à l'époque baroque ce que j'appelle un style français «périphérique», c'est-à-dire celui pratiqué par presque tous les compositeurs européens hors de France, soucieux d'appliquer à leurs pièces les dernières «nouveautés» parisiennes en fait de style d'écriture et d'interprétation. Cela se traduit souvent par une attention toute particulière à la façon de noter leur musique, dans le but de rendre plus précises pour leurs interprètes les intentions expressives dont dépend tout le charme de ces œuvres. Ainsi, l'on trouvera chez Purcell, et même chez beaucoup de compositeurs dits «mineurs», de précieuses indications pour les «notes inégales», qu'un compositeur français prendrait pour acquis et ne se sentirait pas contraint de noter avec la même précision.

On connaît l'importance de la musique française pour Bach: un livre entier suffirait à peine pour illustrer les innombrables apports stylistiques de la musique française chez lui et les autres Allemands. Sait-on ainsi que Bach avait recopié la table d'ornements de d'Anglebert (le document existe toujours), et que c'est de cette table qu'il tira l'abrégé préparé à l'intention de son fils aîné, Wilhelm Friedemann, âgé de dix ans, en substituant aux titres de d'Anglebert des expressions allemandes? Je puis dire, avec nombre d'interprètes, que la fréquentation de Couperin et de ses prédécesseurs aura modifié mon approche des œuvres de Bach, tant au clavecin qu'à l'orgue.

Pourquoi avoir accordé si peu de place aux œuvres d'orgue et de musique de chambre de Couperin?

Une carrière de musicien-interprète doit souvent une large part au hasard. Il est vrai que je n'ai enregistré, pour le disque, ni l'œuvre d'orgue ni les œuvres de musique de chambre. Cependant, mon premier enregistrement pour la radio canadienne, en 1956, a été consacré aux deux *Messes* qui constituent l'intégrale de l'œuvre pour orgue. Cela à une époque où il était peu habituel de les entendre en concert, et encore moins avec les «notes inégales» et autres éléments d'une interprétation qui se voulait, disons, plus «ajourée» de la musique française, éléments devenus courants chez tous les interprètes.

J'ai évolué tout naturellement vers le clavecin car j'ai vécu, ces trente dernières années, ce grand moment de la découverte des instruments anciens: la révélation de la beauté de leurs timbres qui nous parlent avec la «voix de leurs maîtres». Ainsi ai-je peut-être un peu privilégié le jeu soliste du clavecin, parce que les instruments anciens que j'ai eu le bonheur d'acquérir me semblaient être des «machines à remonter le temps».

Kenneth Gilbert, octobre 1997

DISCOGRAPHIE

Pièces d'orgue
- Marie-Claire Alain, avec le plain-chant alterné (Erato, 1997).
- Michel Chapuis (Astrée, 1977).
- Scott Ross (Stil, 1985).

Sonates de jeunesse
- Sigiswald Kuijken, Lucy van Dael, Wieland Kuijken, Adelheid Glatt et Robert Kohnen (Seon, 1977).

Motets
- Jill Feldman, Isabelle Poulenard, Gregory Reinhart, Jaap ter Linden et Davitt Moroney (Harmonia Mundi, 1985).
- Henri Ledroit, Michèle Ledroit, Ian Honeyman, René Schirrer, Pere Ros et Jean-Charles Ablitzer (Stil, 1985).

Leçons de Ténèbres
- Les Arts florissants dirigés par William Christie (Erato, 1997).
- Il Seminario musicale dirigé par Gérard Lesne (Harmonic Records, 1993).

Pièces de clavecin
Intégrales
- Olivier Baumont (Erato-Musifrance, 1992-1995).
- Laurence Boulay (Erato, 1974-1977).
- Ruggiero Gerlin (Oiseau-Lyre, 1954, épuisé).
- Kenneth Gilbert (Harmonia Mundi, 1971 1974).
- Scott Ross (Stil, 1978-1979).

- Christophe Rousset (Harmonia Mundi, 1993-1995).
- Blandine Verlet (Astrée, 1976-1981).

Anthologies
- Huguette Dreyfus (Denon, 1981 et 1987).
- Gustav Leonhardt (Philips, 1988).
- Davitt Moroney (Harmonia Mundi, 1987).
- Bob van Asperen (EMI, 1990).

Concerts royaux
- Trio Sonnerie dirigé par Monica Huggett (GAU, 1986).

Les Goûts réunis et les deux Apothéoses
- English Baroque Soloists dirigés par John Eliot Gardiner : Huitième Concert et les deux Apothéoses (Erato-Musifrance, 1990).
- Claudio Rufa, Paolo Pandolfo et Rinaldo Alessandrini : Troisième Concert royal, Neuvième Concert et Quatorzième Concert (Tactus, 1989).

Les Nations
- Hespèrion XX (Astrée, 1984).
- Musica Antiqua Köln (Archiv Produktion, 1984).

Pièces de violes
- Jordi Savall, Arianne Maurette et Ton Koopman (Astrée, 1976).

BIBLIOGRAPHIE

Œuvres de François Couperin
- *Œuvres complètes* de François Couperin, Editions de l'Oiseau-Lyre, Monaco, 1932, édition revue et corrigée à partir de 1980 par Kenneth Gilbert et Davitt Moroney.

Principales monographies
- Beaussant, Philippe, *François Couperin*, Fayard, Paris, 1980.
- Bouvet, Charles, *Une dynastie de musiciens français : les Couperin, organistes de l'église Saint-Gervais*, Delagrave, Paris, 1919.
- Brunold, Paul, *François Couperin*, Editions de l'Oiseau-Lyre, Monaco, 1949.

- Citron, Pierre, *Couperin*, Le Seuil, Paris, 1956, rééd. 1996.
- Hofman, Shlomo, *L'Œuvre de clavecin de François Couperin le Grand, étude stylistique*, Picard, Paris, 1961.
- Mellers, Wilfrid, *François Couperin and the French Classical Tradition*, Dennis Dobson, Londres, 1950, rééd. Faber and Faber, 1987.
- Tessier, André, *Couperin*, Laurens, Paris, 1926.
- Thomas, Marcel, *Les Premiers Couperin dans la Brie*, Picard, Paris, 1978.
- Tiersot, Julien, *Les Couperin*, Félix Alcan, Paris, 1926.

Principaux articles

- Antoine, Michel, « Autour de François Couperin », *Revue de musicologie*, 1952.
- Fuller, David et Higginbottom, Edward, « Couperin », *The New Grove Dictionary of Music & Musicians*, Londres, 1980.
- *Mélanges François Couperin*, Picard, Paris, 1968.

Ouvrages généraux

- Benoit, Marcelle, *Versailles et les musiciens du roi* et *Musiques de cour*, Picard, Paris, 1971.
- Brunold, Paul, *Le Grand Orgue de Saint-Gervais à Paris*, Editions de l'Oiseau-Lyre, Paris, 1934.

TABLE DES ILLUSTRATIONS

INDEX

CRÉDITS PHOTOGRAPHIQUES

AKG 12-13b, 50d, 60, 113. Artephot/Held 74b. Artephot/Trela 29, 51, 83. Artothek 78d. Bibliothèque Inguimbertine de Carpentras 22-23. Bibliothèque municipale de Lyon 27b. Bibliothèque nationale de France dos, 12, 14, 15b, 18b, 26h, 33h, 38b, 41, 42-43b, 47h, 48, 50g, 58h, 70b, 71, 72b, 84, 85, 86, 87, 93. Bridgeman/Giraudon 62, 92h. Bulloz 1er plat, 6-7. Yannick Coupannec 8. Dagli-Orti 27h, 44-45h, 79. Archives Gallimard 1-7, 12-13h, 21h, 16-17, 28, 32-33, 39, 42-43h, 44-45b, 46-47, 52b, 56-57h, 58b, 64, 68-69, 72-73, 74h, 75, 78g, 89, 92b, 95, 98, 101, 104, 106, 107, 110-111, 119, 124, 126-127. Giraudon 96. Giraudon/Alinari 24, 108. Giraudon/Lauros 2e plat, 10, 19, 20, 21b, 30, 38h, 40, 52h, 59, 61, 65, 77, 80h, 81b, 88, 97. Patrick Léger 63. Editions Minkoff, Genève 110-111. Musée des Beaux-Arts de Chartres 105. Musée de la Musique 9, 66-67. RMN 1er plat, 11, 25, 31, 34-35, 76, 94. RMN/G. Blot 15h, 37, 49, 54, 70h, 82. RMN/M. Beck-Coppola 26-27. RMN/Derenne 36. RMN/G. Ojeda 90-91. RMN/Jean-Schormans 57b. Viollet/Hurault 53. Viollet/N.D. 18h.

REMERCIEMENTS

L'auteur remercie Michel Baumont, Stéphane Bechy, Huguette Dreyfus, Pierre Dumoulin, Jacqueline Fodor, Kenneth Gilbert, Denis Herlin, Dallas Winston et surtout Davitt Moroney dont l'intérêt constant pour ce livre a été d'une aide précieuse. L'auteur remercie également toute l'équipe de Gallimard ainsi que la direction des Affaires culturelles de Seine-et-Marne, l'Académie des Arts baroques, l'Adiam 77, la médiathèque départementale de Seine et Marne et la direction et le comité des Archives et du Patrimoine de Seine-et-Marne qui ont apporté leur soutien à la parution de cet ouvrage.

ÉDITION ET FABRICATION

DÉCOUVERTES GALLIMARD
DIRECTION Pierre Marchand et Elisabeth de Farcy.
DIRECTION DE LA RÉDACTION Paule du Bouchet.
GRAPHISME Alain Gouessant.
FABRICATION Claude Cinquin.
PROMOTION & PRESSE Valérie Tolstoï.

COUPERIN, LE MUSICIEN DES ROIS
EDITION Valérie Mettais.
MAQUETTE Jacques le Scanff.
ICONOGRAPHIE Frédéric Mazuy.
LECTURE-CORRECTION Béatrice Peyret-Vignals et Jocelyne Marziou.

Table des matières